Brief
Oral French Review

Brief
Oral French Review

third edition

KARL G. BOTTKE
UNIVERSITY OF WISCONSIN

ILLUSTRATIONS BY ALLYN AMUNDSON

APPLETON-CENTURY-CROFTS
DIVISION OF MEREDITH CORPORATION

New York

Preface

The purpose of this book is to review from both the oral and written standpoints the essentials of French grammar, the principal irregular verbs, and the most frequent idioms, as employed in a series of dialogues on a variety of practical subjects. To reflect current usage frequent reference was made to *Le Français Élémentaire*, a brochure published by the Ministère de l'Éducation Nationale and based on a study of numerous tape-recorded conversations. A good deal of everyday vocabulary is learned in each lesson, and stress is laid on the spoken language through the use of the dialogue form in the text. Explanations of many minor details of grammar are purposely avoided because it was felt that correct usage may best be acquired through imitation. The most important points of grammar are explained in the Appendix. The English sentences for translation into French are based closely on the dialogues. If the student masters the model furnished, he will avoid the absurd mistakes which result from translating literally while thinking in terms of English. The constant practice of conjugating verbs in short sentences tends to aid oral facility by giving the student something meaningful to say, at the same time increasing his self-confidence and providing exercise in articulation and pronunciation.

The text presupposes an elementary knowledge of the language such as one would gain after one year of college French or two years of high-school French. The dialogues and certain of the drill exercises in this third revised edition have been recorded on tape by the following teachers of French at the University of Wisconsin: Professor Maurice Gras, Mr. and Mrs. Carleton Carroll, Mrs. Glenn Pearce, and M. Michel Boillot, all of whom we wish to thank for their vivacious presentation of the material.

The author also wishes to express his gratitude to Mademoiselle Yvonne Renouard of Georgetown University for her counsel in preparing this edition.

Karl G. Bottke

MAGNETIC TAPE RECORDINGS: Four reels of Audiotape containing the oral exercises from the text are available for laboratory or classroom use. The configuration of the tapes is: 4 7-inch reels, 7 ½ i.p.s., double track.

A returnable sample tape will be loaned for auditioning upon request to the Publisher.

Contents

vii

ix

Brief
Oral French Review

PREMIÈRE LEÇON

Dans la classe de français

LE PROFESSEUR: Où **êtes**-vous, mademoiselle?

L'ÉTUDIANTE: Je **suis** dans la classe de français, monsieur.

LE PROFESSEUR: Où **étiez**-vous hier, mademoiselle? Vous **étiez** absente, n'est-ce pas?

L'ÉTUDIANTE: Oui, monsieur, **j'étais** à la maison parce que **j'étais** malade.

LE PROFESSEUR: C'est dommage! Comment allez-vous aujourd'hui?

L'ÉTUDIANTE: Beaucoup mieux, merci. **J'étais** enrhumée seulement. Ce n'**était** pas grave.

LE PROFESSEUR: J'en **suis** content. (*A un étudiant qui arrive en retard*) Quel **est** votre nom, monsieur?

L'ÉTUDIANT: Je m'appelle Durand, monsieur. Excusez-moi d'**être** en retard, monsieur.

LE PROFESSEUR: Ne **soyez** pas en retard demain, n'est-ce pas?

L'ÉTUDIANT: Non, monsieur, je **serai** à l'heure demain. Je **serais** désolé d'**être** encore en retard.

A.   RÉVISION

1. Révision des temps simples du verbe **être*** *to be*:

PRÉSENT

Je suis en classe aujourd'hui.	**Nous sommes** en classe aujourd'hui.
Tu es en classe aujourd'hui.	**Vous êtes** en classe aujourd'hui.
Il est en classe aujourd'hui.	**Ils sont** en classe aujourd'hui.
Elle est en classe aujourd'hui.	**Elles sont** en classe aujourd'hui.

CONJUGUEZ: **Je ne suis pas** à la maison.

IMPARFAIT

J'étais malade hier.	**Nous étions** malades hier.
Tu étais malade hier.	**Vous étiez** malade(s) hier.
Il était malade hier.	**Ils étaient** malades hier.
Elle était malade hier.	**Elles étaient** malades hier.

CONJUGUEZ: **Je n'étais pas** en classe hier.

* Pour la traduction des formes verbales voir la page 152.

FUTUR

Est-ce que **je serai** absent(e) de-
main?
Seras-tu absent(e) demain?
Sera-t-il absent demain?
Sera-t-elle absente demain?

Serons-nous absent(e)s demain?
Serez-vous absent(e)(s) demain?
Seront-ils absents demain?
Seront-elles absentes demain?

CONJUGUEZ: Est-ce que **je serai** présent(e) demain?

CONDITIONNEL

Est-ce que **je ne serais pas** en retard?
Est-ce que **tu ne serais pas** en retard?
Est-ce qu'**il ne serait pas** en retard?
Est-ce qu'**elle ne serait pas** en retard?

Est-ce que **nous ne serions pas**
en retard?
Est-ce que **vous ne seriez pas** en
retard?
Est-ce qu'**ils ne seraient pas** en
retard?
Est-ce qu'**elles ne seraient pas** en
retard?

CONJUGUEZ: Est-ce que* **je ne serais pas** à l'heure?

IMPÉRATIF

Ne sois pas en retard!   **Soyons** présent(e)s.   **Soyez** à l'heure!

2. Étudiez l'alphabet, les articles et l'adjectif (Appendice 1, 2,
3, 4). Remarquez l'accord de l'adjectif avec le sujet dans
les phrases ci-dessus.

---

* Toute constatation peut être transformée en question à l'aide de **est-ce que.** Dans la conversation les questions qui commencent par **est-ce que** sont plus fréquentes que celles qui emploient l'inversion du sujet.

B.   QUESTIONNAIRE
          Répondez toujours par une phrase complète.

1. Qu'est-ce que le professeur demande à l'étudiante?
2. Qu'est-ce qu'elle lui répond?
3. Est-ce qu'elle était présente hier?
4. Où était-elle?
5. Pourquoi était-elle absente?
6. Est-ce que c'était grave?
7. Etes-vous souvent enrhumé(e)?
8. Etes-vous enrhumé(e) maintenant?
9. Comment allez-vous aujourd'hui?
10. Demandez à un(e) camarade comment il (elle) va.
11. Quel est votre nom?
12. Quel est le nom de l'étudiant qui arrive en retard?
13. Qu'est-ce que le professeur lui dit?
14. Etes-vous toujours à l'heure?
15. Serez-vous en retard demain?

C.   COMPOSITION

1. We are in our (the) French class.
2. All the students are present today.
3. Mary was absent yesterday because she was ill.
4. That's too bad!
5. How is she today?
6. She is much better.
7. She had a cold, but it was not serious.
8. I apologize for being late.
9. Let's not be absent tomorrow.
10. The professor does not like it (is not content) when we are absent.

D.   EXERCICES

1. Mettez la forme convenable de l'adjectif devant, ou après, le
   nom selon l'usage:

   a. (mauvais) un garçon
   b. (premier) la leçon
   c. (rouge) du vin
   d. (frais) de l'eau
   e. (facile) une leçon
   f. (joli) une voix
   g. (blanc) la maison
   h. (petit) l'enfant
   i. (bon) une classe
   j. (gentil) un compliment
   k. (malade) un ami

   l. (sec) un climat
   m. (jeune) un professeur
   n. (ancien) l'histoire
   o. (beau) un arbre
   p. (mou) un chapeau
   q. (vieux) une amie
   r. (gros) une automobile
   s. (long) une leçon
   t. (américain) une étudiante
   u. (même) la maison
   v. (autre) une maison

2. Épelez votre nom et votre prénom en français.

DEUXIÈME LEÇON

Dans la classe de français (suite)

LE PROFESSEUR: Tout le monde est là. D'abord faisons une dictée. Comment vous appelez-vous, mademoiselle?

L'ÉTUDIANTE: Je m'appelle Marie Dupont.

LE PROFESSEUR: Passez au tableau, prenez un morceau de craie et écrivez votre nom. Écrivez en français: «Louis est Français; Louise est Française. Jean est Américain; Jeanne est Améri-

caine.» Maintenant, lisez ces phrases. (*Marie lit les phrases.*)
Effacez, s'il vous plaît. Retournez à votre place. Asseyez-vous . . .
Durand, c'est à vous maintenant. Est-ce que vous me comprenez?

L'ÉTUDIANT: Oui, monsieur, mais parlez un peu plus lentement, s'il vous plaît.

LE PROFESSEUR: Bon. Écrivez: «Louis et Louise sont Français. Jean et Jeanne sont Américains. Jean **a été** très occupé.
Jeanne **aura été*** très occupée aussi.» Lisez, s'il vous plaît. Attention à la prononciation. Parlez plus fort, s'il vous plaît. Avez-
vous bien préparé la leçon?

L'ÉTUDIANT: Je m'excuse, monsieur. **J'ai été** trop occupé hier
soir pour la préparer.

LE PROFESSEUR: Je le regrette. Asseyez-vous.

A.   R É V I S I O N

1. Révision des temps composés du verbe **être**:

PASSÉ COMPOSÉ†

J'ai été très occupé(e).	**Nous avons été** très occupé(e)s.
Tu as été très occupé(e).	**Vous avez été** très occupé(e)(s).
Il a été très occupé.	**Ils ont été** très occupés.
Elle a été très occupée.	**Elles ont été** très occupées.

CONJUGUEZ: **Je n'ai pas été** très occupé(e).

* Le futur antérieur exprime la probabilité: *Jane has probably been very
busy too.*

† Dans la conversation on emploie le passé composé pour exprimer une
action terminée au passé. Le passé composé est remplacé dans la langue
littéraire par le passé simple. Il faut apprendre à reconnaître les formes du
passé simple dans la lecture, mais il faut les éviter dans la conversation.

PLUS-QUE-PARFAIT

J'avais été en ville.   Nous avions été en ville.
Tu avais été en ville.   Vous aviez été en ville.
Il avait été en ville.   Ils avaient été en ville.
Elle avait été en ville.   Elles avaient été en ville.

FUTUR ANTÉRIEUR

J'aurai été de retour.   Nous aurons été de retour.
Tu auras été de retour.   Vous aurez été de retour.
Il aura été de retour.   Ils auront été de retour.
Elle aura été de retour.   Elles auront été de retour.

CONDITIONNEL PASSÉ

J'aurais été d'accord.   Nous aurions été d'accord.
Tu aurais été d'accord.   Vous auriez été d'accord.
Il aurait été d'accord.   Ils auraient été d'accord.
Elle aurait été d'accord.   Elles auraient été d'accord.

2. Étudiez le nom (Appendice 5).

B.   QUESTIONNAIRE

1. Est-ce que tout le monde est présent?
2. Que fait la classe d'abord?
3. Comment s'appelle la jeune fille qui va au tableau?
4. Qu'est-ce qu'elle écrit au tableau?
5. Que fait-elle ensuite?
6. Comment dit-on *be seated* en français?
7. Qui va au tableau ensuite?
8. Comprend-il le professeur?
9. Que demande-t-il au professeur?
10. Qu'est-ce qu'il écrit au tableau?
11. A-t-il été attentif à la prononciation?
12. A-t-il parlé assez fort?
13. A-t-il bien préparé la leçon?
14. Que lui dit le professeur?
15. Avez-vous bien préparé la leçon d'aujourd'hui?

C.   COMPOSITION

1. First, let's have a dictation.
2. What is your name?
3. My name is ———————.
4. John and Mary have been very busy.
5. Jane would have been too tired to study.
6. It's your turn now.
7. Do you understand?
8. John asks the professor to speak more slowly.
9. He had been too busy to prepare the lesson.
10. Sit down. Let's sit down.

D.   EXERCICES

1. Mettez cette phrase au plus-que parfait, au futur antérieur et au conditionnel passé en la traduisant chaque fois: **Nous avons été bien fatigués.**

2. Employez les expressions **être de retour** *to be back,* **être d'accord** *to agree* et **être en train de** + l'infinitif *to be busy doing something* ou *to be in the act of doing something* dans des phrases originales.

3. Mettez au pluriel:

   a. l'enfant   f. le feu
   b. le bureau   g. la voix
   c. le cheval   h. le ciel
   d. le nez   i. le bois
   e. l'œil   j. le journal

4. **Le lion est un animal sauvage. Le chien et le chat sont des ——————— domestiques.**

TROISIEME LEÇON

La famille

HENRI: **Avez-**vous des frères et des sœurs?

JEAN: **J'ai** un frère et une sœur. Mon frère est plus jeune que moi et ma sœur est plus âgée.

HENRI: Quel âge **ont**-ils?

JEAN: Mon frère **a** seize ans et ma sœur **aura** vingt ans le mois prochain. Elle est mariée. Son mari s'appelle Dupont.

HENRI: Vos parents sont-ils encore en vie?

JEAN: Oui, j'ai mon père et ma mère. Mon père a quarante-deux ans et ma mère a trente-huit ans.

HENRI: **Avez**-vous des cousins, des cousines, d'autres parents?

JEAN: Mais oui, j'ai cinq cousins et trois cousines. Ce* sont les enfants de mon oncle et de ma tante.

HENRI: Tiens, c'est une assez grande famille—cinq fils et trois filles! Moi, je suis fils unique.

JEAN: Quel âge **avez**-vous? Dix-neuf ans?

HENRI: Non, je n'**ai** que dix-huit ans. Et vous?

JEAN: Dix-sept ans la semaine dernière.

HENRI: Félicitations!

A.   RÉVISION

1. Révision des temps simples du verbe **avoir** *to have*:

PRÉSENT

J'ai des cousins.	Nous avons des cousins.
Tu as des cousins.	Vous avez des cousins.
Il a des cousins.	Ils ont des cousins.
Elle a des cousins.	Elles ont des cousins.

CONJUGUEZ: **Je n'ai pas** de cousines.

IMPARFAIT

J'avais deux frères.	Nous avions deux frères.
Tu avais deux frères.	Vous aviez deux frères.
Il avait deux frères.	Ils avaient deux frères.
Elle avait deux frères.	Elles avaient deux frères.

CONJUGUEZ: **Je n'avais pas** de sœurs.

* **Ce** s'emploie d'habitude comme sujet du verbe **être** quand la forme du verbe **être** est suivi directement de: **le, la, les, un, une.**

FUTUR

Est-ce que **j'aurai** des vacances?   **Aurons-nous** des vacances?
Auras-tu des vacances?   **Aurez-vous** des vacances?
Aura-t-il des vacances?   **Auront-ils** des vacances?
Aura-t-elle des vacances?   **Auront-elles** des vacances?

CONDITIONNEL

Est-ce que **je n'aurais pas** d'ar-   **N'aurions-nous pas** d'argent?
   gent?   **N'auriez-vous pas** d'argent?
N'aurais-tu pas d'argent?   **N'auraient-ils pas** d'argent?
N'aurait-il pas d'argent?   **N'auraient-elles pas** d'argent?
N'aurait-elle pas d'argent?

IMPÉRATIF

N'aie pas peur! **Ayons** du courage! **Ayez** la bonté de fermer la porte.

2. Révisez les nombres jusqu'a **cent** (Appendice 6). Lisez:

5	15	55	3	13	33
4	14	44	2	12	22
6	16	66	8	18	88
7	17	77	9	19	99

Comptez par **dix** jusqu'à **cent**.

3. Apprenez ces expressions:

le mois prochain   le mois dernier (passé)
la semaine prochaine   la semaine dernière (passée)
l'année prochaine   l'année dernière (passée)

4. Expressions idiomatiques avec le verbe **avoir**:

J'ai faim.   I am hungry.
Tu as soif.   You are thirsty.

Il a raison.	He is right.
Elle a tort.	She is wrong.
On a honte.	One is ashamed.
Nous avons chaud.	We are warm.
Vous avez froid.	You are cold.
Ils ont peur.	They are afraid.
Elles ont sommeil.	They are sleepy.
Quel âge avez-vous?	How old are you?
J'ai dix-sept ans.	I am seventeen.
Vous avez de la chance.	You are lucky.

B.   QUESTIONNAIRE

1. Combien d'enfants y a-t-il dans la famille de Jean?
2. Quel âge a son frère? Sa sœur?
3. Comment s'appelle le mari de sa sœur?
4. Quel âge avez-vous?
5. Les parents de Jean sont-ils encore en vie?
6. Quel âge a son père? Sa mère?
7. Quel âge a votre père?
8. Avez-vous des frères et des sœurs?
9. Combien de cousins Jean a-t-il?
10. De qui sont-ils les enfants?
11. Demandez à un(e) camarade s'il (si elle) a faim (soif, sommeil).
12. Votre mère a-t-elle toujours raison?
13. Demandez à un(e) camarade s'il (si elle) a chaud (froid).
14. Avez-vous peur de votre père?
15. Demandez à votre voisin(e) s'il (si elle) a honte quand il (elle) a tort.
16. Etes-vous fils (fille) unique?

C.   COMPOSITION

1. John has a brother and a sister.
2. How old are you?

3. I am eighteen.
4. Henry has an uncle and an aunt.
5. John will be nineteen next week.
6. They will be thirsty.
7. She was cold and hungry.
8. We should be too warm.
9. His sister is married.
10. Her father is forty years old.

D.   EXERCICES

1. Mettez les phrases de la *Composition* à la forme interrogative.

2. Apprenez ces expressions:

a. J'ai faim.	—**Moi aussi.**	Me too. (So am I.)
b. Je n'ai pas sommeil.	—**Moi non plus.**	Neither am I.
c. Vous n'avez pas soif?	—**Mais si.**	Yes, I am.

QUATRIÈME LEÇON

Une présentation

HENRI: Avez-vous fait la connaissance de ma cousine Hélène?

JEAN: Non, je n'**ai** pas encore **eu** ce plaisir.

HENRI: Alors, Hélène, permettez-moi de vous présenter Jean Durand. Nous sommes de bons amis.

HÉLÈNE: Monsieur.

JEAN: Enchanté, mademoiselle. Henri m'a souvent parlé de vous.

HÉLÈNE: Gentiment, j'espère.

JEAN: Il dit que vous êtes la meilleure étudiante de* la classe d'anglais.

HÉLÈNE: C'est un gentil compliment mais Henri **a eu** tort. Il a beau dire cela, ce n'est pas vrai. J'ai honte de l'avouer mais j'ai peur de parler anglais. Je fais tant de fautes.

JEAN: Vous avez sans doute besoin de pratique. Est-ce que je pourrais vous aider un peu?

HÉLÈNE: Oui, ce serait gentil de votre part car j'ai vraiment envie d'apprendre l'anglais.

A.   RÉVISION

1. Révision des temps composés du verbe **avoir**:

PASSÉ COMPOSÉ

J'ai eu peur.	Nous avons eu peur.
Tu as eu peur.	Vous avez eu peur.
Il a eu peur.	Ils ont eu peur.
Elle a eu peur.	Elles ont eu peur.

CONJUGUEZ: **Je n'ai pas eu** ce plaisir.

PLUS-QUE-PARFAIT

J'avais eu raison. (Continuez la conjugaison.)

FUTUR ANTÉRIEUR

J'aurai eu tort. (Continuez la conjugaison.)

CONDITIONNEL PASSÉ

J'aurais eu besoin d'un livre. (Continuez la conjugaison.)

* On emploie **de** après un superlatif pour exprimer *in*.

2. Étudiez l'adverbe (Appendice 7) et remarquez sa position dans ces phrases:

Je n'ai pas **encore** eu ce plaisir. Je ne l'ai pas vu **aujourd'hui.**
Jean m'a **beaucoup** parlé de vous. L'avez-vous vu **hier?**
Je l'ai **déjà** eu. Nous le verrons **demain.**

B. QUESTIONNAIRE

1. Qu'est-ce qu'Henri demande à Jean?
2. Que lui répond-il?
3. Présentez votre voisin(e) à gauche à votre voisin(e) de droite.
4. Que dit le monsieur qu'on a présenté?
5. Que dit la jeune fille à qui on l'a présenté?
6. Hélène est-elle la meilleure étudiante de la classe d'anglais?
7. De quoi a-t-elle peur?
8. Pourquoi a-t-elle peur de parler anglais?
9. De quoi a-t-elle besoin?
10. Qu'est-ce qu'Hélène a envie de faire?
11. Hélène est-elle contente de la suggestion de Jean?
12. Avez-vous eu le plaisir de voir Paris?
13. Demandez à un (une) camarade s'il (si elle) a eu le plaisir de parler français avec un Français.
14. Dites-moi que vous avez déjà eu ce plaisir.
15. Dites-moi que vous l'avez déjà eu.

C. COMPOSITION

1. He has not yet met your cousin. Neither have I.
2. Helen, may I present my friend John?
3. I am pleased to meet you.
4. Henry has often spoken to me of you.
5. Helen is not the best student in the class.

6. You are right. John is wrong.
7. We need practice in French.
8. They are sleepy. So am I.
9. He was afraid. (Use the *imparfait*.)
10. He became frightened. (Use the *passé composé*.)

D.   EXERCICES

1. Faites répéter la conversation de la première partie par trois étudiants de la classe.

2. Employez les expressions **avoir à** *to have to,* **avoir beau** *to be in vain,* **avoir envie de** *to feel like,* **avoir lieu** *to take place,* **avoir l'air** *to look* et **avoir l'intention de** *to intend to* dans des phrases originales.

3. Conjuguez: **J'ai beau chercher mon livre, je ne le trouve pas.**

4. Que signifie la phrase: **Il aura eu trop à faire.**

5. Mettez la phrase suivante à tous les temps que vous avez appris:

    J'ai l'habitude de travailler ferme (dur).

6. Formez l'adverbe qui correspond à chaque adjectif:

    a. facile   f. heureux
    b. gentil   g. précis
    c. récent   h. constant
    d. doux   i. énorme
    e. poli   j. rare

CINQUIÈME LEÇON

En classe

LE PROFESSEUR: Où est votre livre, monsieur?

L'ÉTUDIANT: **Le voici**, devant moi.

LE PROFESSEUR: Montrez-moi le tableau.

L'ÉTUDIANT: **Le voilà**, monsieur, derrière vous.

LE PROFESSEUR: (*montrant un crayon*) Qu'est-ce que c'est?

L'ÉTUDIANT: C'est un crayon, monsieur.

LE PROFESSEUR: Et ceci?

L'ÉTUDIANT: C'est un stylo.

LE PROFESSEUR: Quelle espèce de stylo est-ce?

L'ÉTUDIANT: C'est un stylo à bille.

LE PROFESSEUR: Et cela?

L'ÉTUDIANT: C'est une fenêtre.

LE PROFESSEUR: Combien d'étudiants y a-t-il dans la classe?

L'ÉTUDIANT: **Il y en a** quinze, monsieur.

LE PROFESSEUR: Combien de langues parlez-vous?

L'ÉTUDIANT: J'en parle deux: l'anglais et le français.

LE PROFESSEUR: **Depuis quand** étudiez-vous le français?

L'ETUDIANT: Je l'étudie **depuis** deux ans.

LE PROFESSEUR: Alors, vous avez commencé l'étude du français **il y a** deux ans, n'est-ce pas?

L'ÉTUDIANT: Oui, monsieur, **voilà** deux ans **que** je l'étudie,
mais je ne le parle pas encore couramment.

LE PROFESSEUR: Espérons que vous le parlerez mieux quand
vous aurez fini ce cours. Paris, non plus, ne s'est pas fait en un
jour.

A.   RÉVISION

1. Révisez les verbes **donner** *to give,* **finir** *to finish* et **vendre** *to
sell.* Conjuguez:

Je parle français.	Je les ai finis.*
J'étudie le français depuis deux ans.	Je vends la maison.
Je finis mes devoirs.	Je vendrai la maison.
Je finissais mes devoirs.	Je la vendrais.

---

* Remarquez l'accord du participe passé avec le complément direct qui
précède (Appendice 8*a*).

2. Étudiez ces phrases:

> Voici mon livre. Le voici.
> Voilà mes amis. Les voilà.
> Voici deux crayons. En voici deux.
>
> Il y a quinze étudiants dans la classe.
> Il y en a quinze.
>
> Depuis quand parlez-vous français?
> Je le parle depuis deux ans.

B.   QUESTIONNAIRE

1. Montrez-moi les fenêtres.
2. Combien y en a-t-il?
3. Où est la porte?
4. Où est le tableau?
5. Où sont vos livres?
6. Qu'est-ce que c'est? (*en montrant un crayon, un stylo, un morceau de craie, etc.*)
7. Combien de garçons y a-t-il dans la classe?
8. Depuis quand étudiez-vous le français?
9. Quand avez-vous commencé l'étude du français?
10. Combien de langues parlez-vous?
11. Demandez à votre voisin(e) combien de cousins il (elle) a.
12. Demandez à un (une) camarade où sont ses parents.
13. Depuis quand êtes-vous à cette école?
14. Est-ce que vous finissez toujours vos devoirs avant de sortir?
15. Combien de temps faut-il pour les faire?

C.   COMPOSITION

1. Where is the door? There it is, sir.
2. I shall close the door, and they will open the windows.

3. We shall need air; we are too warm.
4. How many students are there here?
5. There are ——————.
6. They will bring their books tomorrow.
7. We are finishing the fifth lesson.
8. We have been studying French for two years.
9. John did not speak French at his school.
10. Will you sell your French book when you have finished this course?

D.   EXERCICES

1. Conjuguez: Je suis à cette école depuis six semaines.

2. Remplacez les mots en italique par **en:**

   a. Nous avons fini deux *de nos devoirs.*
   b. J'ai donné quatre *livres* à l'étudiant.
   c. Il a vendu *des crayons* aux étudiants.
   d. Ils ont demandé *de la craie* au professeur.
   e. Voici *des stylos.*
   f. Il y a *des livres* sur la table.

3. On emploie le futur (quelquefois le futur antérieur) après **quand, dès que, lorsque, aussitot que** si le verbe dans la proposition indépendante est au futur.

CONJUGUEZ: Je lirai ce livre quand j'**aurai** le temps.
             Je lui donnerai le livre dès que je l'**aurai fini.**

SIXIÈME LEÇON

Le voyage

HÉLÈNE: Comment dit-on *je suis allée* en anglais?

JEAN: On dit, *I have gone* ou bien tout simplement *I went*. Le passé composé exprime une action qui a déjà été terminée.

HÉLÈNE: Ah oui, tandis que l'imparfait *j'allais* se traduit généralement par *used to go* ou bien *was going*, n'est-ce pas?

JEAN: Précisément. Vous êtes plus savante que vous ne*
croyez.
HÉLÈNE: Etes-vous jamais **allé** en Amérique, Pierre?
PIERRE: Pas encore, mais j'espère y aller un de ces jours.
J'irai **au** Canada et **aux** États-Unis. J'aimerais aller jusqu'au
Mexique avant de rentrer **en** France.
HÉLÈNE: Mes parents m'ont promis un long voyage **en** Italie
quand j'aurai fini mes études. Je **suis née** à Venise, mais mes parents n'y **sont** pas **restés** longtemps. Ils **sont revenus** en France
quand j'avais deux ans. Donc, l'Italie sera tout à fait nouvelle
pour moi. C'est pourquoi j'ai envie d'y aller.

A.   RÉVISION

1. Révision des verbes conjugués avec **être:**

Je suis allé(e)† en France.	**Nous sommes allé(e)s** en France.
Tu es allé(e) en France.	**Vous êtes allé(e)(s)** en France.
Il est allé en France.	**Ils sont allés** en France.
Elle est allée en France.	**Elles sont allées** en France.

CONJUGUEZ: **J'étais venu(e)** en Amérique.
              Je serai parti(e) en Europe (*ou*, pour l'Europe).
              Je serais arrivé(e) en Italie.

Apprenez ces autres verbes conjugués avec **être:**

descendre	**devenir**	**entrer**	**sortir**	**naître**	**retourner**
monter	**rester**	**rentrer**	**tomber**	**mourir**	**revenir**

---

* **Ne** explétif qui s'emploie dans les seconds termes de comparaison et qui
ne se traduit pas.

† Remarquez l'accord du participe passé avec le sujet (Appendice 8*b*).

2. Étudiez la façon d'exprimer *in* ou *to* avec les noms géographiques (Appendice 9).

VILLES	PAYS (*fém.*)	PAYS (*masc.*)	CONTINENTS
Je suis à Paris.	en France	au Canada	en Amérique
(J'y suis.) °	en Italie	au Mexique	en Europe
	en Angleterre	aux États-Unis	en Asie
	en Chine		en Afrique
	en Russie		en Australie

B.   QUESTIONNAIRE

1. Comment dit-on *je suis resté* en anglais?
2. Quelle est la différence entre le passé composé et l'imparfait?
3. Quel est l'imparfait du verbe *finir*?
4. Quel compliment Jean fait-il à Hélène?
5. Quelle question pose-t-elle à Pierre?
6. Quelle est sa réponse?
7. Où espère-t-il aller?
8. Qu'est-ce que les parents d'Hélène lui ont promis?
9. Où est-elle née?
10. Est-ce que ses parents y sont restés longtemps?
11. Où sont-ils revenus?
12. Quel âge Hélène avait-elle alors?
13. Où êtes-vous né(e)?
14. Etes-vous jamais allé(e) en Europe?
15. Désirez-vous y aller?
16. A quels pays iriez-vous?
17. Quelle préposition faut-il employer en français avec les noms de ville pour exprimer *in* ou *at*?
18. Avez-vous jamais été à New York?
19. Avez-vous jamais été à la Nouvelle Orléans?
20. Quel est le plus long voyage que vous ayez fait?
21. Où habitent vos parents?

° On emploi **y** pour remplacer **à, dans,** ou **en** avec nom de lieu.

C.   COMPOSITION

1. They were talking when she entered the room.
2. We used to study French every morning.
3. John is helping Helen to study English.
4. Is Helen intelligent?
5. John says that she is more clever than she thinks.
6. We stayed three months in Italy, Spain, and France.
7. In Paris we often went to the opera.
8. He went out with his friend.
9. My father left for America a week ago.
10. He arrived there yesterday.

D.   EXERCICES

1. Conjuguez: J'étudiais quand elle est entrée.
               Tu étudiais quand elle est entrée, etc.

2. Dites en français:

   a. to London
   b. in Le Havre
   c. to Belgium
   d. from Mexico
   e. in the United States

   f. from the United States
   g. to Africa
   h. in Japan
   i. in England
   j. from Canada

3. Les quatre points cardinaux sont: **le nord** [nɔːr], **le sud** [syd], **l'est** [ɛst] **l'ouest** [wɛst].

4. a. **La France** est un beau pays. Jean vient **de France**. Il est **français**. Il va rentrer **en France**.

b. **Le Mexique** est aussi un beau pays. Jeanne vient **du** Mexique. Elle est **mexicaine.** Elle va rentrer **au Mexique.**

A substituer d'après les modèles ci-dessus:

a. l'Allemagne *f.*	a. allemand, -e
b. l'Angleterre *f.*	b. anglais, -e
c. la Belgique	c. belge
d. le Brésil	d. brésilien, -ne
e. le Canada	e. canadien, -ne
f. la Chine	f. chinois, -e
g. le Danemark	g. danois, -e
h. l'Espagne *f.*	h. espagnol, -e
i. les États-Unis *m. pl.*	i. américain, -e
j. la Grèce	j. grec, -que
k. la Hollande	k. hollandais, -e
l. la Hongrie	l. hongrois, -e
m. l'Italie *f.*	m. italien, -ne
n. le Japon	n. japonais, -e
o. la Norvège	o. norvégien, -ne
p. le Portugal	p. portugais, -e
q. la Russie	q. russe
r. la Suède	r. suédois, -e
s. la Suisse	s. suisse

5. Apprenez ces mots et employez-les dans des phrases:

l'avion *m.*	la cabine
l'aéroport *m.*	décoller
le pilote	voler
l'avion à réaction	atterrir
l'hôtesse *f.* de l'air	s'écraser
les ailes *f. pl.*	le tarmac

SEPTIÈME LEÇON

Les jours, les mois et les saisons

LE PROFESSEUR: Quel jour sommes-nous aujourd'hui?

L'ÉTUDIANT: C'est **lundi,** monsieur.

LE PROFESSEUR: Quels sont les autres jours de la semaine?

L'ÉTUDIANT: Les autres jours de la semaine sont **mardi, mercredi, jeudi, vendredi, samedi** et **dimanche.**

LE PROFESSEUR: Les jours de congé pour les étudiants français sont le jeudi et le dimanche ... Quelle est la date aujourd'hui, mademoiselle?

L'ÉTUDIANTE: C'est **le premier** novembre—ah pardon, **je me trompe, c'est le deux.**

LE PROFESSEUR: Oui, et quelle heure est-il?

L'ÉTUDIANTE: **Il est dix heures vingt,** monsieur.

LE PROFESSEUR: A quelle heure **vous êtes-vous levée** ce matin?

L'ÉTUDIANTE: **Je me suis levée** à six heures et demie.

LE PROFESSEUR: Et ensuite?

L'ÉTUDIANTE: **Je me suis lavé** les mains et la figure. Je me suis **brossé** les dents et les cheveux et **je me suis** vite **habillée.**

LE PROFESSEUR: Bon ... Quels sont les mois de l'année?

L'ÉTUDIANT: Les mois de l'année sont **janvier, février, mars, avril, mai, juin, juillet, août, septembre, octobre, novembre** et **décembre.**

LE PROFESSEUR: Et les quatre saisons?

L'ÉTUDIANT: Les quatre saisons sont **le printemps, l'été, l'automne** et **l'hiver.**

LE PROFESSEUR: Quand êtes-vous né?

L'ÉTUDIANT: Je suis né **le seize mars,** dix-neuf cent quarante-cinq.

A.   RÉVISION

1. Révision des verbes pronominaux (*reflexive*). Conjuguez:

Je me suis couché(e) à onze heures.
Je me suis levé(e) de bonne heure.
Je me suis lavé* les mains.
Je me suis vite habillé(e).

Conjuguez les phrases précédentes au négatif et à l'interrogatif.

* L'accord du participe passé des verbes pronominaux suit la règle des verbes conjugués avec **avoir.** Si le complément direct ne précède pas le participe, il n'y a pas d'accord (Appendice 8*c*).

2. Révisez la façon d'exprimer l'heure et la date en français (Appendice 10, 11). Lisez à haute voix:

5:30   9:15   11:10   12:00   7:55   3:45

Remarquez que l'heure officielle dans les gares, les théâtres, etc. est donnée sur un plan de 24 heures qui commence à minuit:

Le train part à 0 (zéro) heure 20; à 13 heures 50, etc.
La pièce commence à 14 h. 30; à 21 h. etc.

B.   QUESTIONNAIRE

1. Quelle saison aimez-vous le mieux?
2. Quel jour sommes-nous aujourd'hui?
3. Quels sont les autres jours de la semaine?
4. Combien de jours y a-t-il dans une semaine?
5. Quels sont les jours de congé dans une école américaine? dans une école française?
6. Quelle est la date aujourd'hui?
7. Quelle sera la date demain?
8. Quelle était la date hier?
9. Quelle heure est-il?
10. A quelle heure vous êtes-vous couché(e) hier soir?
11. A quelle heure vous couchez-vous ordinairement?
12. A quelle heure vous êtes-vous levé(e) ce matin?
13. Qu'avez-vous fait ensuite?
14. A quelle heure êtes-vous arrivé(e) à votre première classe?
15. A quelle heure commence cette classe-ci?
16. A quelle heure finit-elle?
17. Quels sont les mois de l'année?
18. Quel est le septième mois de l'année?
19. Quel est le mois le plus froid de l'année?
20. Où êtes-vous né(e)?
21. En quelle année êtes-vous né(e)?
22. Quelle est la date de votre naissance?
23. Quels sont les quatre points cardinaux en français?

C.   COMPOSITION

1. Today is Wednesday.
2. I was born —————————, 19———.
3. We went to bed at 11:30.
4. We got up at 7:15.
5. She washed her hands and face.
6. Then she brushed her teeth and dressed.
7. January is the first month of the year.
8. What time is it? It is ——————— o'clock.
9. We have been in class for half an hour.
10. Excuse me, you are mistaken.

D.   EXERCICES

1. Exprimez ces heures en français:

   12:05   5:45   9:30   7:10   2:55   1:15

2. Traduisez ces dates en français:

   January 1, 1965   March 9, 1852   September 21, 1771

HUITIÈME LEÇON

Le temps

MARIE: Je **voudrais** bien **faire** une promenade. Quel temps **fait**-il?

JEANNE: Il **fait** mauvais. Nous ne **pourrons** pas nous promener.

MARIE: Je croyais qu'il **faisait** du soleil tout à l'heure.

JEANNE: Oui, en effet, mais le ciel est couvert maintenant.

Il y a de gros nuages et il **fait** du vent. Je crois qu'il va pleuvoir.

MARIE: Nous avons eu beaucoup de pluie dernièrement.

JEANNE: Mais que **voulez**-vous? Nous sommes au printemps.

MARIE: Moi, j'aime mieux l'hiver. En hiver on **peut** sortir presque tous les jours. Il neige, c'est vrai, mais il ne pleut pas beaucoup.

JEANNE: Moi, j'adore les arbres en automne. Si j'étais artiste, je **pourrais** les peindre.

MARIE: Je n'aime pas beaucoup l'été. Il **fait** trop chaud en été.

JEANNE: Moi, je préfère la chaleur au froid. Je suis plutôt frileuse. A mon avis il **fait** trop froid en hiver! Ne m'en **veuillez** pas si nous ne sommes pas d'accord.

MARIE: Chacun à son goût. Je n'ai qu'un seul regret. S'il **avait fait** beau, nous **aurions pu** faire une promenade.

A.   RÉVISION

1. Révisez les verbes **faire** *to make, do,* **pouvoir** *to be able* et **vouloir** *to wish.* Conjuguez:

Je voudrais faire une promenade.
Je ne peux pas me promener.
S'il fait mauvais, je ne pourrai pas sortir.
S'il faisait beau, je pourrais faire une promenade.

2. Remarquez la façon d'exprimer une condition et son résultat (Appendice 12):

Si j'**ai** le temps, je **ferai** une promenade.
PRÉSENT   FUTUR

Si j'**avais** le temps, je **ferais** une promenade.
IMPARFAIT   CONDITIONNEL

Si j'**avais eu** le temps, j'**aurais fait** une promenade.
PLUS-QUE-PARFAIT   CONDITIONNEL PASSÉ

B.   QUESTIONNAIRE

1. Qu'est-ce que Marie voudrait bien faire?
2. Qu'est-ce qu'elle demande?
3. Que répond Jeanne?
4. Est-ce qu'il faisait du soleil tout à l'heure?
5. Comment le ciel est-il maintenant?
6. Est-ce qu'il fait du vent?
7. Va-t-il pleuvoir?
8. A-t-on eu de la pluie dernièrement?
9. En quelle saison y a-t-il beaucoup de pluie?
10. Quelle saison Marie aime-t-elle mieux?
11. Pourquoi est-ce qu'elle aime mieux l'hiver?
12. Pleut-il beaucoup en hiver?
13. Neige-t-il souvent en hiver?
14. Pourquoi Jeanne adore-t-elle l'automne?
15. Que ferait-elle si elle était artiste?
16. Pourquoi Marie n'aime-t-elle pas l'été?
17. Qu'est-ce que Jeanne préfère, la chaleur ou le froid?
18. Pourquoi Jeanne n'aime-t-elle pas l'hiver?
19. Est-ce que Marie lui en veut puisqu'elles ne sont pas d'accord?
20. Avec quelle observation philosophique Marie ferme-t-elle la discussion?
21. Quelle saison n'aimez-vous pas? Pourquoi?
22. En quelle saison êtes-vous né(e)?
23. Est-ce que vous feriez une promenade s'il faisait plus beau?
24. S'il fait beau dimanche, que ferez-vous?
25. Si vous n'aviez pas de classes aujourd'hui, que feriez-vous?

C.   COMPOSITION

1. If the weather is fair, we can (shall be able to) take a walk.
2. If the weather were fair, we could (should be able to) take a walk.
3. It is cloudy and windy.
4. It rains a lot in spring, and it snows a great deal in winter.

  5. I don't know whether (if) he will be able to come.
  6. If I could see him, I'd like to give him this letter.
  7. If I could have seen him, I'd have liked to give him this letter.
  8. Mary doesn't hold it against Jane.
  9. If the weather had been fair, we could have taken a walk.
 10. If you wish to learn French, pay (make) attention to the teacher.

D.   EXERCICES

1. Conjuguez:

   a. Si j'ai le temps, je ferai une promenade.
   b. Si j'avais le temps, je ferais une promenade.
   c. Si j'avais eu le temps, j'aurais fait une promenade.
   d. Je n'en veux pas à Marie.
   e. Je ne lui en veux pas.
   f. Je n'en peux plus. (*I am worn out.*)

2. Apprenez ces expressions:

   a. Marie préfère rester **dedans, à cause de** la pluie.
   b. Où est Jean? —Il est **dehors.**
   c. Prenez un imperméable ou un parapluie car **il pleut à verse!**
   d. En été **il fait jour** vers quatre heures du matin.
   e. En hiver **il fait nuit** (**il fait sombre, il fait noir**) vers cinq heures du soir.
   f. Il faisait mauvais temps, mais nous sommes sortis **quand même.**
   g. Une vague de chaleur; une vague de froid.

NEUVIÈME LEÇON

Au restaurant

*Jean et Pierre entrent dans le restaurant et se **mettent** à table.*

JEAN: Garçon, la carte, s'il vous plaît . . . Y a-t-il **du** rosbif aujourd'hui?

GARÇON: (**mettant** *le couvert*) Je regrette, monsieur, il n'y a pas **de** rosbif, mais nous avons **du** rôti de porc qui est excellent.

JEAN: Bon. Je **prendrai du** porc, **des** pommes de terre frites et une salade.

PIERRE: Avez-vous **du** poulet ou **du** poisson?

GARÇON: Non, monsieur, nous n'avons ni poulet ni poisson.

PIERRE: Alors, apportez-moi **du** rôti de porc, une purée de pommes de terre et une salade.

Le garçon apporte les plats et Jean et Pierre se
mettent à manger.

GARÇON: Comme boisson, un peu **de** vin rouge, messieurs?

JEAN: Non, apportez-nous **de** l'eau minérale.

GARÇON: Et comme dessert?

JEAN: **Du** fromage et une poire. Je ne **prends** pas **de** café.

PIERRE: Pour moi, une glace à la vanille.

GARÇON: Nous n'avons plus **de** glace, monsieur. Je suis désolé mais c'est terminé.

PIERRE: Zut alors! Je n'ai pas **de** chance aujourd'hui . . . Bon. Apportez-moi **des** fruits et **du** café.

✻   ✻   ✻   ✻   ✻   ✻   ✻   ✻

JEAN: Garçon, l'addition, s'il vous plaît.

GARÇON: La voici, messieurs.

JEAN: Le service est-il **compris**?

GARÇON: Non, monsieur, le pourboire n'est pas compté.

JEAN: (*lui donnant quinze pour-cent du montant de l'addition*) Voici alors.

GARÇON: Merci, monsieur. Au revoir, messieurs.

Jean et Pierre sortent.du restaurant.

A.   RÉVISION

1. Révisez les verbes **mettre** *to put, set* et **prendre** *to take*. Conjuguez:

Je prends du café.	J'apprends le français.
Je prenais du thé.	J'ai appris le latin.
Je mets la table.	Je ne comprends pas.
J'avais mis le couvert.	Je n'ai pas compris.

2. Révisez l'article partitif (Appendice 13). Étudiez ces phrases:

—Est-ce qu'il y a **de la** viande
  aujourd'hui?   —Il n'y a pas **de** viande.
—Y a-t-il **du** café?   —Il n'y a pas **de** café.
—Apportez-moi **des** fruits.   —Il n'y a pas **de** fruits.
—Je voudrais beaucoup **de** pain et
  un peu **de** fromage.   —Il n'y **en** a pas, monsieur.

3. On exprime *from* ou *out of* par **de** et l'article défini:

Jean sort **du** restaurant.   Jean **en** sort.

B. QUESTIONNAIRE

  1. Quelle viande Jean désirait-il d'abord?
  2. Quelle viande a-t-il prise?
  3. A-t-il pris une salade?
  4. A-t-il pris du vin?
  5. Qu'a-t-il pris comme boisson?
  6. Qu'a-t-il pris comme dessert?
  7. Est-ce qu'il a pris du café?
  8. Quelle viande Pierre désirait-il?
  9. Quelle viande a-t-il prise?
10. Qu'est-ce que Pierre a commandé comme dessert?
11. Pourquoi n'a-t-il pas pris de glace?
12. Que prenez-vous d'habitude comme boisson?
13. Que prenez-vous d'habitude comme dessert?
14. Que faut-il demander au garçon avant de partir?
15. Que faut-il laisser pour le garçon?
16. Commandez un dîner en français.
17. Quelle langue apprenez-vous?
18. Quelles autres langues avez-vous déjà apprises?
19. Comprenez-vous le français? l'espagnol?
20. Qui met la table chez vous?

C.   COMPOSITION

1. We are learning to speak French.
2. The waiter did not understand you.
3. He will set the table while we are looking at the menu.
4. What are you going to take?
5. I shall take roast beef, French fried potatoes, and a salad.
6. Do you want wine or mineral water?
7. Bring me a little red wine, please.
8. And for dessert bring me some cheese and a peach.
9. I did not take any coffee.
10. How much does one give the waiter as [a]* tip?

D.   EXERCICES

1. Faites une phrase avec **se mettre à** *to begin*.

2. Remplacez les tirets par l'article partitif ou par **de**, selon le cas.

   a. Apportez-moi _____ viande et _____ œufs.
   b. Nous n'avons pas _____ porc.
   c. Je prendrai _____ rosbif et _____ pommes de terre.
   d. Voulez-vous _____ vin ou _____ eau minérale?
   e. Je ne veux pas _____ boisson.
   f. Nous prendrons _____ fruits et beaucoup _____ café.

3. Comment dit-on en français:

   a. It's pouring.   d. I'm going out anyhow.
   b. It's daylight.   e. She stayed inside because
   c. It's dark.   of the rain.

   * Ne traduisez pas ce qui est entre crochets.

4. Répondez d'abord affirmativement et ensuite négativement à la question suivante:

EXEMPLE: Voulez-vous **du café,** monsieur (madame, mademoiselle)?
—Oui, merci, donnez-moi **du café,** s'il vous plaît.
—Non, merci, je ne désire pas **de café.**

A substituer:

du thé	du pain	des fruits
du vin	du beurre	des gâteaux
de l'eau	de la crème	des pommes de terre
de la bière	du sucre	une serviette

DIXIÈME LEÇON

On met la table

LA NOUVELLE BONNE: Pour combien de personnes faut-il mettre la table, madame?

L'HÔTESSE: Mettez-**la** pour six personnes, Marie. Ne **vous** dépêchez pas. Les invités n'arriveront pas avant sept heures. Est-ce que je ne **vous** ai pas montré où **se** trouvent la nappe et les serviettes propres?

LA BONNE: Si, madame, vous **me les** avez montrées hier.

L'HÔTESSE: Mettez les fourchettes à gauche de l'assiette, les couteaux et les cuillères à droite. Polissez-**les** bien.

LA BONNE: Oui, madame. Ne **vous** tourmentez pas. Je connais mon métier.

L'HÔTESSE: Bon. Si la cuisinière oublie encore d'envoyer la sauce avec le rôti, demandez-**la-lui.**

LA BONNE: Bien, madame, je **la lui** demanderai sans faute.

L'HÔTESSE: Y a-t-il des fleurs pour la table?

LA BONNE: Non, madame, il n'**y en** a pas.

L'HÔTESSE: Eh bien, achetez-**en** quand vous irez au marché, et moi, j'**en cueillerai** dans le jardin de ma mère.

A.   RÉVISION

1. Révisez le verbe **cueillir** *to gather, pick.* Conjuguez:

> Je cueillerai des fleurs pour la table.

2. Étudiez les pronoms personnels (Appendice 14*a, b*). Observez l'ordre des mots dans les phrases suivantes:

AFFIRMATIF	NÉGATIF
Il nous les montre.	Il ne nous les montre pas.
Je la lui ai montrée.	Je ne la lui ai pas montrée.
Vous les a-t-il montrés?	Ne vous les a-t-il pas montrés?
Montrez-les-leur.	Ne les leur montrez pas.*
Donnez-les-moi.	Ne me les donnez pas.*
Donnez-nous-en.	Ne nous en donnez pas.*
Allez-vous-en.	Ne vous en allez pas.*
Vas-y. Allez-y.	N'y va pas. N'y allez pas.*

3. Conjuguez:

> Je la lui ai donnée.

* Au négatif de l'impératif les pronoms compléments précèdent le verbe.

B.   QUESTIONNAIRE
        Employez des pronoms autant que possible dans les
        réponses.

1. Combien de personnes y aura-t-il à dîner?
2. La bonne doit-elle se dépêcher?
3. A quelle heure les invités arriveront-ils?
4. La maîtresse de maison a-t-elle déjà montré à la bonne la nappe et
   les serviettes propres?
5. Quand les lui a-t-elle montrées?
6. Où faut-il mettre les fourchettes?
7. Où faut-il mettre les couteaux et les cuillères?
8. Que mange-t-on avec la cuillère?
9. A quoi sert le couteau?
10. Est-ce que la bonne connaît son métier?
11. Que doit-elle faire si la cuisinière oublie la sauce?
12. Y a-t-il des fleurs pour la table?
13. Que dit l'hôtesse à propos des fleurs?
14. Dites à un (une) camarade de donner son livre à son (sa) voisin(e).
15. Dites-moi de ne pas donner mon livre à Marie.

C.   COMPOSITION

1. Set the table for six, please.
2. Tell her to hurry.
3. Don't forget the gravy.
4. I shall not forget it.
5. Don't you know where the table cloth and clean napkins are?
6. Yes, she showed them to me yesterday.
7. How many forks are there?
8. There are a dozen (of them).
9. Wash them and polish them well.
10. I shall pick some flowers for the table.

D.   EXERCICES

1. Comment dit-on en français:

   a. Give them to them.   f. Sit down.
   b. Give it to him.   g. Go to it!
   c. Show them to us.   h. I gave it to them.
   d. He showed them to us.   i. Go away!
   e. Give me some.   j. Let's hurry!

2. Mettez les phrases de 1 au négatif.

3. Remplacez les tirets par la traduction des mots entre parenthèses:

   a. 1. Est-ce que vous _____ _____ avez donné? (it to me)
       2. Oui, je _____ _____ ai donné. (it to you)
       3. Elle _____ _____ a donnés. (them to me)
       4. Est-ce qu'elle _____ _____ a donnés aussi? (them to you)
       5. Ne _____ _____ donnez pas. (it to her)
       6. Ne _____ _____ donnez pas. (it to them)
       7. Ne _____ _____ donnez pas. (them to them)
       8. Donnez- _____ - _____. (it to him)
       9. Donnez- _____ - _____. (it to them)
      10. Donnez- _____ - _____. (them to them)

   b. 1. Ne _____ _____ donnez pas. (them any)
       2. Donnez- _____. (me some)
       3. Donnez- _____ - _____. (him some)
       4. Nous _____ _____ avons donné. (you some)
       5. Non, vous ne _____ _____ avez pas donné. (us any)
       6. Si, je _____ _____ ai donné hier. (you some)
       7. _____ _____ a-t-il donné? (you some)
       8. Oui, il _____ _____ a donné plusieurs. (us, of them)

9. Ne _____ _____ donnez pas. (her any)

10. Ne _____ _____ donnez pas non plus. (me any)

4. Employez un pronom personnel dans la réponse:

EXEMPLE: —Est-ce que vous obéissez *à vos parents?*
—Oui, je *leur* obéis.

a. Obéit-il toujours *à ses parents?*

b. Ecrivez-vous souvent *à vos parents?*

c. A-t-elle offert un cadeau *à sa sœur?*

d. A-t-elle offert quelque chose *à son frère* aussi?

e. Avez-vous répondu au négatif *à vos parents?*

ONZIÈME LEÇON

Au téléphone

HENRI: Je **vais** donner un coup de téléphone à Marie.

JEAN: **Savez**-vous son numéro?

HENRI: Non, je **vais** le chercher dans l'annuaire . . . Le voici: ELYsée 23-05. (*Il essaie plusieurs fois d'avoir la communication.*) Tiens, la ligne est toujours occupée.

JEAN: C'est une jeune fille qui a beaucoup d'amis.

HENRI: Évidemment. Je **vais** encore essayer. ELYsée 23-05
. . . Allô, allô! C'est bien vous, Marie?

MARIE: Oui, qui est à l'appareil?

HENRI: C'est moi, Henri. C'est la **quatrième** fois que j'essaie
de vous téléphoner.

MARIE: Ça se peut car je causais avec Jeanne. Nous **allons**
faire des courses cet après-midi.

HENRI: Dites donc, est-ce que vous serez libre ce soir? Nous
pourrions peut-être **aller** au cinéma Edouard VII.

MARIE: Oui, j'**irais** avec plaisir. Est-ce que la salle est
climatisée?

HENRI: Je crois que oui. Je ne **sais** pas encore si j'**aurai** ma
voiture.

MARIE: Ça ne fait rien. Venez donc me chercher vers huit
heures.

HENRI: Entendu. A ce soir, alors.

MARIE: A ce soir. (*Elle raccroche.*)

A.   RÉVISION

1. Révisez les verbes **aller** *to go* et **savoir** *to know, know how.*
   Conjuguez:

Je vais en ville.   Je sais la leçon d'aujourd'hui.
Je n'irai pas très loin.   Je saurai cela demain.

2. Révisez les nombres cardinaux de **un à mille** et les nombres
   ordinaux de **premier** à **vingt-deuxième** (Appendice 6, 11).
   Étudiez ces exemples:

Six et seize font vingt-deux.   (Addition)
Quinze moins deux font treize.   (Soustraction)
Trois fois sept font vingt et un.   (Multiplication)
Vingt-deux divisé par onze font deux.   (Division)

Lisez à haute voix:

4 + (plus) 8 = (égalent) 12   10 × 3 = 30
17 − 4 = 13   12 ÷ 2 = 6

le 12 octobre 1492   le 14 juillet 1789   le 11 novembre 1918

Charles Ier Louis XIV   195, rue de Provence   ELYsée 23-05

B.   QUESTIONNAIRE

1. Qu'est-ce qu'Henri va faire?
2. Est-ce qu'il sait son numéro de téléphone?
3. Où le trouvera-t-il?
4. Quel est ce numéro?
5. Combien de fois essaie-t-il d'avoir la communication?
6. Pourquoi n'obtient-il pas la communication?
7. Marie a-t-elle beaucoup d'amis?
8. Quels sont ses premiers mots quand elle répond au téléphone?
9. Quels sont les premiers mots d'Henri?
10. Pourquoi la ligne était-elle occupée?
11. Où vont Marie et Jeanne?
12. Quelle question Henri pose-t-il à Marie?
13. Quelle est sa réponse?
14. Henri aura-t-il sa voiture?
15. A quelle heure ira-t-il chercher Marie?

C.   COMPOSITION

1. If one doesn't know a phone number, one looks it up in the phone book.
2. Give me a ring tomorrow morning around nine.
3. The line is always busy.

4. She has many friends.
5. I am going to try again.
6. Hello, is that you, Mary?
7. This is Henry (speaking).
8. Henry asks whether (if) she will be free tonight.
9. Mary says she would be pleased to go to the movies.
10. She says it doesn't matter if Henry doesn't have his car.

D.   EXERCICES

1. Lisez à haute voix:

   $6 + 10 = 16$ $7 \times 8 = 56$ $85 - 14 = 71$ $99 \div 3 = 33$

   le 18 juin 1815   le 4 juillet 1776   le 7 décembre 1941

   Louis XVI   François Ier 71, rue de Seine   ORLéans 08-75

2. Apprenez ces expressions:

   Passez-moi un coup de fil vers cinq heures.
   C'est de la part de qui?
   L'Interurbain.

3. Exercice oral: Donnez un coup de téléphone à un (une) camarade de classe en l'invitant à sortir avec vous.

DOUZIÈME LEÇON

La santé

MARIE: Je ne me **sens** pas très bien depuis quelque temps. Je ne **dors** pas bien. J'ai mal à la tête et à la gorge.

JEANNE: Il faut que vous **alliez** voir le médecin.

MARIE: Connaissez-vous un bon médecin?

JEANNE: Oui, le docteur Martin. C'est dommage que vous ne m'**ayez** pas **dit** que vous ne vous **sentiez** pas très bien.

MARIE: Quelle est l'adresse du docteur Martin?

JEANNE: 175, avenue du Maine.

MARIE: Il faut que j'**aille** le voir aujourd'hui même.

(*Chez le médecin*)

MARIE: Bonjour, docteur. Je suis Mademoiselle Dupont.

LE DOCTEUR: Bonjour, mademoiselle.

MARIE: Je ne me **sens** pas très bien, docteur.

LE DOCTEUR: Tiens, qu'est-ce qui ne va pas? Qu'avez-vous?

MARIE: J'ai toujours mal à la tête et je ne **dors** pas bien.

LE DOCTEUR: Pourtant, vous avez bonne mine. (*lui tâtant le pouls*) Et votre pouls est régulier. Peut-être avez-vous* trop travaillé dernièrement. Ouvrez la bouche. Voyons la gorge . . . Maintenant le nez . . . Oui, vous avez une légère sinusite.

MARIE: Faut-il que je **prenne** un médicament?

LE DOCTEUR: Oui, je vais vous faire une ordonnance tout de suite.

A.   RÉVISION

1. Révisez les verbes **sentir** *to feel, smell,* **dormir** *to sleep,* **servir** *to serve* et **partir** *to leave.* Conjuguez:

> Je ne me sens pas très bien.
> Je ne dors pas bien.
> Il faut que je serve le repas.
> Il faut que je parte.

2. Révisez le présent du subjonctif des verbes étudiés jusqu'ici (Appendice 15). Conjuguez:

> Il faut que j'aille voir le médecin.
> Il faut que j'aie son adresse.

* Au début d'une phrase **peut-être** exige l'inversion. Il n'y a pas d'inversion après **peut-être que: Peut-être que** vous avez trop travaillé dernièrement.

Il faut que je sois à l'heure.
Faut-il que je prenne un médicament?

B.   QUESTIONNAIRE

1. Comment va Marie?
2. Est-ce qu'elle dort bien?
3. Où a-t-elle mal?
4. Qui faut-il qu'elle aille voir?
5. Jeanne connaît-elle un bon docteur?
6. Qui est-ce?
7. Qu'est-ce que Jeanne regrette?
8. Quelle est l'adresse du docteur?
9. Quand faut-il que Marie aille le voir?
10. Que fait le médecin d'abord?
11. Quelle réflexion fait-il?
12. Qu'est-ce qu'il examine ensuite?
13. Que dit le docteur?
14. Quelle question lui pose-t-elle?
15. Quelle est sa réponse?
16. Demandez à un (une) camarade comment il (elle) se porte.
17. Demandez-lui s'il (si elle) aime aller chez le médecin.
18. Demandez-lui qui est son docteur.
19. Demandez à un (une) autre étudiant(e) son adresse.
20. Demandez à un (une) autre étudiant(e) s'il (si elle) est souvent malade.

C.   COMPOSITION

1. For some time Mary hasn't been feeling very well.
2. She has a headache and sore throat.
3. She must go and see the doctor.
4. It's too bad that she didn't tell Jane that she wasn't feeling well.
5. The doctor asks her how she is.

6. He also asks her what is the matter with her.
7. Does she sleep well?
8. She doesn't look well.
9. She has a slight case of sinusitis.
10. She must take medicine.

D.   EXERCICES

1. Employez ces expressions dans des phrases: **avoir mal aux dents; avoir mal au pied; avoir mal à l'estomac.**

2. Remplacez les tirets par le présent du subjonctif du verbe indiqué:

    a. Je suis content que vous (être) _____ ici.
    b. Il faut qu'il (avoir) _____ son adresse.
    c. C'est dommage qu'il ne (finir) _____ pas ses études.
    d. Il faut que je (faire) _____ mes devoirs.
    e. Connaissez-vous quelqu'un qui (savoir) _____ jouer du piano?
    f. Je regrette que vous ne (pouvoir) _____ pas venir.
    g. Mon père veut que je lui (obéir) _____.
    h. Je doute qu'elle le (savoir) _____.
    i. Je crains qu'il ne (venir) _____.

3. Remplacez le verbe **partir** par le verbe **s'en aller:**

EXEMPLE: Il **part** dans une heure.
                Il **s'en va** dans une heure.

    a. Elle **part** demain matin.
    b. Elle **est partie** sans dire un mot.
    c. Savez-vous quand il **partira?**
    d. Ne **pars** pas.
    e. Nous ne voulons pas **partir.**

4. Remplacez l'expression **partir de** par **quitter**:

> EXEMPLE: Elle **est partie du** bureau à six heures.
> Elle **a quitté** le bureau à six heures.

a. A quelle heure est-il **parti de** la maison?
b. Quand êtes-vous **parti de** votre ville natale?
c. Le train **partira de** la gare à minuit.
d. L'autobus **part du** centre de la ville à deux heures.
e. Les avions **partent de** l'aéroport toutes les dix minutes.

TREIZIÈME LEÇON

Noël en France

MARIE: **Dites-moi,** Henri, les petits Français **écrivent**-ils des lettres au Père Noël et suspendent-ils leurs bas à la cheminée comme on fait chez **nous?**

HENRI: Oui, en France les enfants **écrivent** au Père Noël, mais ils mettent plutôt leurs souliers devant la cheminée. Le Père Noël les remplit de jouets et de bonbons. C'est **lui** qui est censé apporter les cadeaux.

MARIE: Est-ce que les grandes personnes échangent des cadeaux entre **elles**?

HENRI: Non, les cadeaux de Noël sont pour les gosses. Les grandes personnes attendent le Jour de l'An pour recevoir des étrennes.

MARIE: Y a-t-il des arbres de Noël et des crèches?

HENRI: Mais oui, et la veille de Noël tout le monde assiste à la messe de minuit. Ensuite les gens rentrent chez **eux** pour faire le réveillon.

MARIE: Qu'est-ce que c'est que le réveillon?

HENRI: C'est un festin où l'on sert beaucoup de bonnes choses . . .

MARIE: Où irez-vous pendant les vacances de Noël?

HENRI: J'irai chez ma cousine Hélène. Je vous ai déjà présentée **à elle**, n'est-ce pas? Ne pourriez-vous pas venir avec **nous**?

MARIE: Je voudrais bien, mais il faut que j'aille chez **moi**.

HENRI: En tout cas, vous m'**écrirez** pour me donner de vos nouvelles, n'est-ce pas? Je **lirai** vos lettres avec grand plaisir.

MARIE: Bon. Au revoir et Joyeux Noël!

HENRI: Merci. Pour **vous** aussi: Joyeux Noël et bonnes vacances!

A.   RÉVISION

1. Révisez les verbes **dire** *to say*, *tell*, **lire** *to read* et **écrire** *to write*. Conjuguez au présent, à l'imparfait et au passé composé:

> Je lui dis Joyeux Noël.
> Je leur écris une lettre.
> Je la lis avec grand plaisir.

CONJUGUEZ: Il faut que je lise ce roman.

2. Étudiez les pronoms personnels (suite, Appendice 14*c*).

C'est **moi, toi, lui, elle, nous, vous.** Ce sont **eux, elles.**

Qui est la? —**Moi.**	Venez avec **moi** à l'église.
Qui est-ce? —C'est **lui.**	**Lui** et **moi** (nous) allons au théâtre.
C'est **lui** qu'il faut consulter.	Il leur a écrit des lettres à **lui** et à **elle.**
Ils sont chez **eux.**	Sa sœur est plus grande que **lui.**

B.   QUESTIONNAIRE

1. Avez-vous écrit des lettres au Père Noël quand vous étiez petit(e)?
2. Les a-t-il toujours lues?
3. Pour qui sont les cadeaux de Noël en France?
4. Quand les grandes personnes reçoivent-elles des cadeaux?
5. Comment s'appellent ces cadeaux?
6. Y a-t-il des arbres de Noël en France? des crèches?
7. Où va-t-on la veille de Noël?
8. Que fait-on après?
9. Où irez-vous pendant les vacances de Noël?
10. Comment dit-on *Merry Christmas* en français?
11. Avez-vous jamais assisté à une messe de minuit?
12. Dites-moi ce que c'est que le réveillon.
13. Est-ce qu'Henri désire que Marie lui écrive?
14. Est-ce qu'il aimera lire ses lettres?
15. Lisez-vous beaucoup?

C.   COMPOSITION

1. It is he. Will you introduce me to him?
2. Henry says that French children put their shoes before the fireplace Christmas eve.
3. Santa Claus fills them with toys and candy.

4. The grown-ups wait for New Year's Day to receive gifts.
5. What are these gifts called? These gifts are called *étrennes*.
6. Henry says that there are Christmas trees in France and nativity scenes too.
7. After midnight mass, the French return home for the *réveillon*.
8. Mary asks Henry what the *réveillon* is.
9. Do you write many Christmas cards?
10. Merry Christmas! Thank you. Same to you!

D.   EXERCICES

1. Remplacez les tirets par un pronom disjonctif:

    a. C'est (I) _____.
    b. Ce sont (they) _____.
    c. Venez chez (us) _____.
    d. J'irai avec (him) _____.
    e. Il nous a présentés à (them) _____.*
    f. Nous partirons sans (her) _____.

2. On emploie l'infinitif après toutes les prépositions sauf **en** *while*, *by* qui est suivi du participe présent.

En lisant on apprend à lire.

Comment dit-on:

    a. He left without saying a word.
    b. I was reading while finishing my lunch.
    c. We were talking instead of listening to the teacher.
    d. You will please your uncle by writing to him.

* Voir page 144.

3. Employez le pronom *y* dans la réponse:

EXEMPLE: —Avez-vous bien réfléchi *à ma suggestion?*
                  —Oui, j'*y* ai bien réfléchi.

a. Avez-vous répondu *à sa lettre?*
b. Avez-vous répondu *à ses lettres?*
c. Vous intéressez-vous *aux études avancées?*
d. A-t-elle réussi *à son examen?*
e. Pensez-vous souvent *à l'avenir?*
f. Est-ce que vous tenez *à bien parler français?*
g. A-t-il renoncé *à cette idée?*
h. Depuis quand travaillent-ils *à cela?*
i. Est-ce que vous êtes habitué *au travail?*
j. A-t-elle échoué *à son examen?*

QUATORZIÈME LEÇON

Le Jour des Rois

HENRI: Vous êtes-vous bien amusé pendant les vacances, Jean?

JEAN: Oui, je me suis bien amusé.

HENRI: Moi aussi. J'ai patiné et j'**ai vu** beaucoup d'amis, mais je me suis bien reposé tout de même . . .

JEAN: Quel jour sommes-nous? Je ne sais plus quel jour je vis.

HENRI: C'est aujourd'hui **le cinq** janvier. C'est demain le Jour des Rois. Connaissez-vous cette fête? On l'appelle aussi l'Épiphanie.

JEAN: En effet, je crois qu'elle correspond à *Twelfth Night*, n'est-ce pas?

HENRI: C'est ça. C'est le jour où les Rois Mages guidés par l'étoile sont venus à Bethléem avec leurs cadeaux pour l'Enfant Jésus. Savez-vous comment on célèbre le six janvier chez nous?

JEAN: Non, expliquez-le-moi.

HENRI: Eh bien, il y a un banquet où la personne qui trouve la fève cachée dans la galette est nommée roi ou reine. Alors le roi ou la reine, selon le cas, choisit un partenaire pour régner avec lui ou avec elle. Chaque fois qu'ils **boivent** tous les invités doivent **boire,** eux aussi, en criant: Le roi **boit!** Vive le roi! ou, La reine **boit!** Vive la reine!

JEAN: Tiens, c'est amusant. Il faudra que je **voie** ça!

A.   RÉVISION

1. Révisez les verbes **voir** *to see,* **boire** *to drink.* Conjuguez au présent, à l'imparfait, au futur et au passé composé:

   Je vois l'étoile.   Je bois de l'eau.

2. Révisez de nouveau la façon de compter et d'exprimer les dates en français (Appendice 6, 11). Lisez à haute voix:

le 6 mars	le 1ᵉʳ janvier	le 17 août	le 16 avril
1669	1880	1960	1775
175.691	10.813	580.798	1.453.916

B.   QUESTIONNAIRE

1. Jean s'est-il bien amusé pendant les vacances?
2. Qu'est-ce qu'Henri a fait?
3. Quel jour du mois sommes-nous?
4. A quelle fête le Jour des Rois correspond-il chez nous?
5. Pourquoi le six janvier s'appelle-t-il *Twelfth Night* en anglais?
6. De quoi est-ce l'anniversaire?
7. Comment les Rois Mages ont-ils réussi à trouver la crèche de l'Enfant Jésus?
8. Qu'est-ce qu'ils lui ont apporté?
9. Comment célèbre-t-on aujourd'hui le Jour des Rois en France?
10. Qui est nommé roi ou reine?
11. Quelle est la première chose que doit faire cette personne?
12. Que doivent faire les invités chaque fois que le roi et la reine boivent?
13. Que crient les invités?
14. Qu'est-ce que vous buvez d'habitude, du thé ou du café?
15. Comment dit-on *New Year's Day* en français?

C.   COMPOSITION

1. Henry asks John if he had a good time during vacation.
2. John says he did (**que oui**).
3. Henry saw a lot of friends, but he had a good rest anyhow.
4. John asks him [what] the date [is].°
5. Henry asks John if American students are acquainted with the Twelfth Night celebration in France.
6. John says no (**que non**) and asks him to explain it to him.
7. The person who finds the bean in the cake is named king or queen, as the case may be.
8. He or she chooses a partner.
9. Each time the king or queen drinks, all the guests must drink too and shout: Long live the king (*or* queen)!
10. You will see this celebration when you go to France.

° Ne traduisez pas les mots entre crochets.

D.   E X E R C I C E S

1. Remplacez les tirets par la forme correcte du verbe indiqué:
   a. Nous avons (voir) ——————— l'étoile.
   b. Je ne (boire) ——————— que de l'eau.
   c. Vous (voir) ——————— ça quand vous irez en France.
   d. Qu'est-ce que vous (voir) ——————— sur la table?
   e. Les invités répondent en (boire) ——————— à la santé du roi et
      de la reine.

2. Répondez à ces questions:

   a. Quelle est la date de la prise de la Bastille?
   b. Quelle est la date de l'Armistice?
   c. Quelle est la date de la découverte de l'Amérique?
   d. Quelle est la date de la Toussaint?
   e. Quelle est la date de l'attaque contre Pearl Harbor?
   f. Quelle est la date de Noël?
   g. Quelle est la date de la fête des Rois?

QUINZIÈME LEÇON

Les sports d'hiver

HENRI: Quels sports d'hiver pratiquez-vous?

PIERRE: J'aime surtout faire du ski, mais je patine quand il n'y a **rien** de mieux à faire.

HENRI: Et la luge?

PIERRE: Je **n'ai jamais** fait de luge. Il n'y avait **pas** de pentes assez à pic près de chez nous.

HENRI: Avez-vous jamais fait du hockey sur glace?
PIERRE: Non, **jamais**. Mais j'ai vu des matches épatants.
HENRI: Le terrain près de chez moi **ne vaut pas** grand'chose
pour le ski. Il est trop plat, mais pour le patinage ça va. Vous
croyez que le patinage est un peu banal, n'est-ce pas?
PIERRE: **Pas du tout**, mais c'est moins intéressant que le ski.
HENRI: Je **crois** que le patinage convient plutôt aux femmes.
Il y en a qui savent patiner à merveille.
PIERRE: Oui, les professionnelles, par exemple. Quelle tech-
nique! Je n'ai **jamais rien** vu de pareil.

A.   RÉVISION

1. Révisez les verbes **croire** *to believe* et **valoir** *to be worth*. Conjuguez au présent, à l'imparfait, au conditionnel et au passé
   composé:

   > Je ne le crois pas.
   > Je ne vaux pas grand'chose comme skieur.

2. Révisez la négation (Appendice 16) et le subjonctif avec **croire**
   (Appendice 15*i*). Étudiez bien ces phrases:

Personne ne le croit.   Il **ne** croit **personne**.
Qui est venu? —**Personne**.   Il **ne** parle **jamais**.
Qu'avez-vous vu? —**Rien**.   Nous n'avons **rien** vu.
Je **ne** bois **plus** de vin.   Vous n'avez **guère** mangé.
Il n'a **ni** faim **ni** soif.   **Il ne** boit **que** de l'eau.
Elle **ne** va **nulle part**.   Je n'ai **aucune** envie de patiner.

B.   QUESTIONNAIRE

1. Est-ce que vous faites des sports d'hiver?
2. Savez-vous patiner?

3. Faites-vous du ski?
4. Où faut-il aller pour faire du ski?
5. Avez-vous jamais assisté à un match de hockey?
6. Y a-t-il assez de neige en ce moment pour faire du ski?
7. Qu'est-ce que c'est que la luge?
8. Croyez-vous que la luge soit un sport dangereux?
9. Quelle sorte de terrain faut-il avoir pour faire de la luge?
10. Quelle patineuse norvégienne était aussi actrice de cinéma?
11. L'avez-vous jamais vue patiner en personne?
12. Croyez-vous que le patinage convienne plutôt aux femmes?
13. Croyez-vous que le patinage soit un peu banal?
14. Demandez à votre voisin(e) s'il (si elle) sait patiner.
15. Quel sport d'hiver aimez-vous le mieux?

C.   COMPOSITION

1. Peter skates when there is nothing better to do.
2. He has never done any tobogganing.
3. There are no slopes steep enough near his home.
4. Do you think ice hockey is a difficult sport?
5. Peter has seen some excellent games.
6. One can't toboggan if the land is too flat.
7. Peter doesn't think that skating is tame at all.
8. Henry thinks that it is rather for women.
9. We aren't worth much as skiers.
10. We have no desire to skate.

D.   EXERCICES

1. Remplacez les tirets par la négation indiquée entre parenthèses:

a. Je _____ crois (no longer) _____ cette histoire.
b. (No one) _____ est entré.
c. Je _____ en ai (nothing) _____ cru.

    d. Ils ——————— ont (no) ——————— envie de patiner.

    e. Elle ——————— a (never) ——————— fait de ski.

    f. Le franc ——————— avait (only) ——————— très peu de valeur.

2. Remarquez l'usage impersonnel du verbe **valoir**:

Il vaut mieux aller **autre part**.	It is better to go elsewhere.
Il vaut mieux chercher **partout**.	It is better to look everywhere.

SEIZIÈME LEÇON

On fait des courses

MARIE: J'ai besoin d'un imperméable. Voulez-vous m'accompagner en ville?

JEANNE: Avec plaisir. Il faut que j'**achète** des bas, une paire de gants, et des chaussettes pour mon frère.

MARIE: J'ai touché le chèque que mon père m'**a envoyé** hier. Heureusement, parce que j'étais presque à sec.

JEANNE: Où va-t-on d'abord?

MARIE: Prenons le métro jusqu'à la Place de l'Opéra et faisons un tour dans les grands magasins . . .

(*Aux Galeries Lafayette, au rayon des bas*)

JEANNE: Voulez-vous bien me montrer des nylons?

LA VENDEUSE: Quelle pointure, mademoiselle?

JEANNE: Pointure moyenne, s'il vous plaît.

LA VENDEUSE: En voici à six francs la paire.

JEANNE: Bon. J'en prends deux paires . . . Maintenant allons au rayon de la ganterie. Je voudrais des gants de peau.

MARIE: Pourquoi n'**achetez**-vous pas des gants de laine? Ce serait meilleur marché et on les **nettoie** si facilement à l'eau et au savon. Si vous **achetez** des gants de peau, vous allez tout dépenser à la fois.

JEANNE: Il me faut des gants de peau. Vous verrez comme je sais trouver des occasions. Je ne les **paierai*** pas trop cher. De plus, ces gants se **nettoient** très bien à sec.

MARIE: **Espérons**-le.

A.   RÉVISION

1. Remarquez les changements d'orthographe dans les verbes suivants (Appendice 17):

acheter (geler, mener)	espérer (céder, préférer)
J'achète des gants.	Je l'espère.
Tu achètes des gants.	Tu l'espères.
Il achète des gants.	Il l'espère.
Nous achetons des gants.	Nous l'espérons.
Vous achetez des gants.	Vous l'espérez.
Ils achètent des gants.	Ils l'espèrent.

* Ou **payerai**.

appeler (épeler, jeter)
J'appelle la vendeuse.
Tu appelles la vendeuse.
Il appelle la vendeuse.
　Nous appelons la vendeuse.
　Vous appelez la vendeuse.
Ils appellent la vendeuse.

envoyer (employer, nettoyer)
Je lui envoie un chèque.
Tu lui envoies un chèque.
Il lui envoie un chèque.
　Nous lui envoyons un chèque.
　Vous lui envoyez un chèque.
Ils lui envoient un chèque.

2. Conjuguez:

> J'achèterai des gants.
> Elle veut que j'appelle la vendeuse.
> Je n'achète pas de mouchoirs.

B.　QUESTIONNAIRE

1. De quoi Marie a-t-elle besoin?
2. Que faut-il que Jeanne achète?
3. Qu'est-ce que Marie a reçu de son père?
4. Pourquoi est-elle si heureuse?
5. Où vont les deux jeunes filles?
6. Que demande Jeanne à la vendeuse?
7. Qu'est-ce que la vendeuse lui demande?
8. Quelle est la réponse de Jeanne?
9. Quelle sorte de bas désire-t-elle?
10. Est-ce qu'elle en achète?
11. Où vont-elles ensuite?
12. Quelle sorte de gants Jeanne veut-elle?
13. Les gants de laine sont-ils plus chers que les gants de peau?
14. Qu'est-ce que Marie verra?
15. Est-ce que les gants de peau se nettoient bien à sec?

C.　COMPOSITION

1. I need a raincoat and a pair of gloves.
2. I must have leather gloves.

3. Mary wants me to accompany her to town.
4. Her father sent her a check yesterday.
5. Today she wants to go shopping.
6. Jane calls the clerk and tells her the size she wears.
7. She buys several pairs of stockings.
8. She will send two of them to her sister.
9. Does Jane know how to find bargains?
10. Mary hopes so for they have looked for them everywhere.

D.   EXERCICES

1. Mettez à l'interrogatif les phrases 1 à 8 de la *Composition*.

2. On emploie le subjonctif quand le sujet de l'infinitif de la phrase anglaise n'est pas le même que le sujet de la proposition principale:

Elle veut que j'**achète** une cravate.
  She wants *me* to buy a tie = *She* wishes that *I* buy a tie.

On emploie l'infinitif si les deux sujets sont les mêmes:

Elle veut m'**acheter** une cravate.
  She wishes to buy me a tie = She wishes that *she* (*herself*) buy me a tie.

DIX-SEPTIÈME LEÇON

On fait des courses (suite)

MARIE: Il faut que j'aille à la pharmacie. Je voudrais **faire préparer** cette ordonnance.

JEANNE: Bon. Moi, j'achèterai un tube de pâte dentifrice et une brosse à dents.

MARIE: Je voudrais aussi laisser chez le photographe **ce** rouleau de pellicule que je **tiens à faire développer**. Je **viens de** prendre des photos de la famille avec mon nouvel appareil.*

JEANNE: Et ensuite, allons prendre quelque chose. J'ai si soif.

MARIE: Allons à **cette** pâtisserie viennoise, **celle** qui est dans la rue St. Jacques près de la Sorbonne.

JEANNE: Oui, on y vend des gâteaux délicieux et du chocolat avec de la crème fouettée.

MARIE: Ne m'en parle pas! Ça me **fait** venir l'eau à la bouche.

A.   RÉVISION

1. Révisez les verbes **tenir** *to hold* et **venir** *to come*. Conjuguez au présent, à l'imparfait, au futur et au passé composé:

Je viens lui parler.   Je tiens le livre.

2. Étudiez ces phrases qui contiennent des adjectifs et des pronoms démonstratifs:

ADJECTIFS	PRONOMS
Ce monsieur est grand.	**Ceci** est bon, **cela** est mauvais.
Cet arbre-**ci** est vert.	**Celui-ci** est vert.
Cet habit-là me plaît.	**Celui-là** me plaît.
Cette dame est jolie.	**Celle** qui est assise est jolie.
Ces messieurs sont fiers.	**Ceux** qui sont debout sont fiers.
Ces robes-là sont vieilles.	**Celles-là** sont vieilles.

3. **Faire** suivi de l'infinitif exprime l'idée *to have something done* ou *to cause something to be done*:

Je vais **faire préparer** cette ordonnance.

* On emploie le mot **caméra** (*f.*) quand il s'agit du cinéma ou de la télévision.

B.   QUESTIONNAIRE

1. Où faut-il que Marie aille?
2. Pourquoi veut-elle y aller?
3. Qu'est-ce que Jeanne y achètera?
4. Qu'est-ce que Marie voudrait laisser chez le photographe?
5. Qu'est-ce qu'elle vient de faire?
6. Qu'est-ce que Jeanne propose ensuite?
7. Pourquoi veut-elle prendre quelque chose?
8. Où Marie veut-elle aller?
9. Où se trouve cette pâtisserie viennoise?
10. Que sert-on à cette pâtisserie?
11. Aimez-vous la crème fouettée?
12. Pourquoi Marie ne veut-elle pas que Jeanne parle de ces gâteaux?
13. Que prenez-vous d'habitude—du chocolat, du thé ou du café?
14. Est-ce que vous tenez à apprendre le français?
15. Aimez-vous prendre des photos de vos amis?
16. D'où venez-vous?

C.   COMPOSITION

1. I should like to have this prescription filled.
2. I should like a tube of this tooth paste.
3. Those brushes are not hard enough.
4. This one is too hard.
5. These cakes are better than those.
6. Do you see those two ladies?
7. The one who is sitting (seated) is my aunt.
8. Those who know her like her very much.
9. She is eager (**tenir à**) to go shopping this afternoon.
10. We have just (**venir de**) bought a roll of film.

D.   EXERCICES

1. Remplacez les tirets par un adjectif ou par un pronom démon-
   stratif:

   a. ———— homme-ci est plus grand que ———— -là.
   b. ———— leçon-ci est plus facile que ———— -là.
   c. ———— garçon-ci est moins intelligent que ———— jeune fille-là.
   d. ———— étudiants-ci sont moins diligents que ———— -là.
   e. ———— arbre-ci est aussi haut que ———— -là.
   f. ———— dames-ci ne sont pas si jolies que ———— -là.

2. **Celui qui** = *he who, the one who;* **ceux qui** = *those who.*

   TRADUISEZ: Celui qui n'entend pas est sourd.
                Celle qui ne parle pas est muette.
                Ceux qui ne peuvent ni entendre ni parler sont
                   des sourds-muets.
                Celles qui ne voient pas sont aveugles.

3. Employez **tenir à** et **venir de** dans des phrases originales.

DIX-HUITIÈME LEÇON

On retient une chambre

JEANNE: Pendant que nous sommes au Quartier Latin, **il faut** que j'aille chez Madame Dupont retenir une chambre. C'est pour deux amies anglaises. Puisque nous sommes de bonnes amies, **il faut** que je les aide à trouver une chambre.

MARIE: Voilà longtemps que je n'ai pas vu Madame Dupont. Je **devrais** saisir cette occasion. Ça me fera plaisir de vous accompagner.

(Chez Mme Dupont)

JEANNE (*à Mme D.*): Est-ce que vous avez une chambre à louer en ce moment, madame? C'est pour deux jeunes filles anglaises qui vont passer quelques semaines ici. J'**aurais dû** vous en parler plus tôt mais je viens d'apprendre la date de leur arrivée.

MME D.: Oui, en effet mademoiselle, j'ai une belle chambre au premier étage avec eau chaude. Voulez-vous la voir?

JEANNE: S'il vous plaît. Est-ce que la chambre est bien chauffée?

MME D.: Naturellement, mademoiselle. Nous avons le chauffage central . . . un brûleur à mazout pour préciser.

MARIE: Cette chambre est vraiment jolie et elle donne sur la cour. On **doit** être bien tranquille ici.

JEANNE: Vous **devez** la faire payer assez cher.

MME D.: C'est dix francs par jour avec pension complète. Ce serait dix-huit francs pour deux personnes.

JEANNE: C'est très raisonnable. Et où se trouve la salle de bains?

MME D.: Tout à côté. Puis il y a un lavabo dans la chambre comme vous **avez dû** remarquer.

JEANNE: Eh bien, je la retiens. Mes amies **doivent** arriver d'aujourd'hui en huit.

A. RÉVISION

1. Révisez les verbes **devoir** *to owe, to be obliged to* et **falloir** *to be necessary*. Conjuguez au présent, à l'imparfait et au conditionnel:

   Je leur dois cinq dollars.   Il me faut un livre.

2. Étudiez ces phrases:

a. Je **dois** partir à deux heures.   I must (am to) leave at 2:00.
   Vous **devez** être fatigué.   You must be tired.

Vous **devez** étudier davantage.	You must study more.
Vous **devriez** étudier davantage.	You should (ought to) study more.
Je **devrais** partir maintenant.	I should (ought to) leave now.
Il **devait** arriver à minuit.	He was to arrive at midnight.
Elle **a dû** beaucoup étudier.	She must have studied hard *or* She had to study hard.
Vous **auriez dû** étudier davantage.	You should have (ought to have) studied more.

b. Il **faut** qu'il finisse son travail avant midi. — He must (has to) finish his work before noon.

Il **faudra** qu'il finisse son travail avant midi. — He must (will have to) finish his work before noon.

Il **a fallu** qu'il finisse son travail avant midi. — He had to finish his work before noon.

3. Faites la distinction entre:

Je **devrais** lui écrire.	I should (ought to) write to him.
Je lui **écrirais** si j'avais le temps.	I should (would) write to him if I had time.

B.   QUESTIONNAIRE

1. Pourquoi Marie et Jeanne doivent-elles aller chez Mme Dupont?
2. Est-ce que Marie a vu Mme Dupont récemment?
3. Pour qui Jeanne cherche-t-elle une chambre?
4. Combien de temps les jeunes filles anglaises vont-elles passer à Paris?
5. Mme Dupont a-t-elle une chambre à louer?
6. Où se trouve cette chambre?
7. Est-elle bien chauffée?
8. Sur quoi donne-t-elle?
9. Combien Mme Dupont fait-elle payer la chambre?
10. Est-ce cher?

11. Où se trouve la salle de bains?
12. Qu'est-ce qu'il y a dans la chambre?
13. Jeanne retient-elle la chambre?
14. Quand ses amies doivent-elles arriver?
15. Est-ce que Jeanne aurait dû demander la chambre plus tôt?

C.   COMPOSITION

1. Jane's friends are to remain in Paris a few weeks.
2. She has to engage a room for them.
3. Mme Dupont has a room for rent on the second floor.
4. This room has a lavatory and is well heated.
5. It overlooks the yard; it must be very pleasant.
6. It must be quieter than if it overlooked the street.
7. Mme Dupont charges (**faire payer**) 10 francs a day with meals.
8. The bathroom is right next door.
9. Jane should have spoken of it to Mme Dupont several days ago, but she has just learned the date of her friends' arrival.
10. She must find a room at once because they will arrive a week from today.

D.   EXERCICES

Comment dit-on en français:

1. We must finish our lessons before going out.
2. You must be tired.
3. You must have worked a great deal.
4. I should have come sooner.
5. We were to arrive at noon.
6. He had to finish the book at once.

DIX-NEUVIÈME LEÇON

Au théâtre

JEAN: Tu **connais** sans doute *Le Cid* de Corneille?

PIERRE: Qui ne **connaît** pas cette pièce célèbre? Mais je dois avouer que je ne l'ai jamais vu jouer.

JEAN: Allons la voir à la Comédie Française ce soir. J'irai prendre **nos** billets d'avance.

PIERRE: A quelle heure **ouvre**-t-on les portes?

JEAN: Vers sept heures, je crois.

PIERRE: Si l'on se retrouvait au bureau de location à sept heures et quart?

JEAN: Bon. A ce soir!

     *   *   *   *   *

JEAN: Tu arrives à l'heure pour une fois! Le bureau n'était pas encore **ouvert** à sept heures. J'ai dû faire la queue.

PIERRE: Tu as pris les billets?

JEAN: Oui, j'ai deux fauteuils d'orchestre au cinquième rang. Il n'y avait plus de places au balcon. Voici **ton** billet. Je garde **le mien.**

PIERRE: Bon. J'achèterai les programmes.

JEAN: N'oublie pas de donner un pourboire à l'ouvreuse.

PIERRE: Tiens, cette jeune fille a dû laisser tomber **son** sac. ... Ce sac est-il à **vous**, mademoiselle?

LA JEUNE FILLE: Merci, monsieur, il est à **moi.**

     *   *   *   *   *

JEAN: Voilà les trois coups traditionnels ... le rideau se lève.

A. RÉVISION

1. Révision des verbes **ouvrir** *to open* et **connaître** *to know, be acquainted with.* Conjuguez:

J'ouvre mon livre.	Je connais M. Martin.
J'ai ouvert la porte.	Je l'ai connu à Paris.

2. Révision des adjectifs et des pronoms possessifs. Étudiez ces exemples:

ADJECTIFS	PRONOMS
Voici **mon** livre.	Voici **le mien.**
Voici **ma** sœur.	Voici **la mienne.**
Voici **mes** livres.	Voici **les miens.**
Voici **mes** sœurs.	Voici **les miennes.**

Substituez les formes convenables de **ton, son, notre, votre, leur** dans les phrases ci-dessus qui contiennent des adjectifs; de même, **le tien, le sien, le nôtre, le vôtre, le leur** dans les phrases qui contiennent des pronoms.

Étudiez ces phrases:

Ce sac est-il à **vous?**

Oui, il est à **moi.**
(Oui, c'est **le mien.**)

Est-ce que ce sont **les vôtres** ou **les miens?**

Un de **mes** amis (un ami à **moi**) est malade.

Ce sont **les miens.**

Mon auto* et **la sienne** sont de la même marque.

B.   QUESTIONNAIRE

1. Est-ce que Pierre connaît *Le Cid?*
2. Connaissez-vous cette pièce?
3. Qui en est l'auteur?
4. Pierre a-t-il jamais vu jouer *Le Cid?*
5. Qu'est-ce que Jean propose?
6. Qui ira prendre les billets d'avance?
7. A quelle heure ouvre-t-on les portes à la Comédie?
8. Où les deux garçons se retrouveront-ils?
9. Pierre arrive-t-il à l'heure?
10. Le bureau de location était-il ouvert à sept heures?
11. Quelles places Jean a-t-il prises?
12. Pourquoi n'a-t-il pas pris des places au balcon?
13. Qu'est-ce que Pierre achètera?
14. Que faut-il donner à l'ouvreuse?
15. Qu'est-ce que la jeune fille a laissé tomber?
16. Qu'est-ce que Pierre lui a demandé?
17. Qu'est-ce qu'elle a répondu?
18. Que signifient les trois coups?

* On emploie **mon, ton, son** au lieu de **ma, ta, sa** devant un mot au féminin qui commence par une voyelle ou par un *h* muet. On dit **ma** sœur, mais **mon** autre sœur.

C.   COMPOSITION

1. Peter is acquainted with Corneille's play, *Le Cid*, but he has never seen it acted.
2. Peter and John are going to see it tonight.
3. John says he will get their tickets in advance.
4. They will meet at the box office.
5. Here is my ticket. Where is yours?
6. Their seats are good. Ours are better.
7. Is this your program or mine? It's yours.
8. Is this your seat? Yes, it is mine.
9. A friend of mine has sold his car.
10. His and mine are of the same make.

D.   EXERCICES

Comment dit-on en français:

1. Your books and hers.
2. His sister and yours.
3. Our parents and his.

4. Her lessons and mine.
5. My friends and theirs.
6. Their car and ours.

VINGTIÈME LEÇON

Au théâtre (suite)

JEAN: Voilà Don Rodrigue qui entre en scène.

PIERRE: Je me demande si les acteurs qui attendent dans les coulisses ont quelquefois le trac.

JEAN: Rarement à la Comédie Française. Ce sont des acteurs et des actrices expérimentés. Ils n'ont même pas souvent besoin d'un souffleur.

PIERRE: **On** voit que les costumes sont authentiques et que le maquillage est parfait.

(*A l'entr'acte*)

LA MARCHANDE DE BONBONS: Chocolat glacé, bonbons, pastilles de menthe!

PIERRE: Allons nous promener un peu. **On** a besoin de se dégourdir les jambes **après être resté*** assis si longtemps.

JEAN: La jeune fille à qui tu as rendu le sac **est accompagnée par** sa mère.

PIERRE: Oui, **on** dirait des sœurs. Elles **se** ressemblent comme deux gouttes d'eau.

A.   RÉVISION

1. Révisez le verbe **s'asseoir** *to seat oneself, to sit down.* Conjuguez:

> Je m'assieds sur cette chaise.
> Je vais m'asseoir dans ce fauteuil.
> Je me suis assis(e) à ma place.

Apprenez les expressions **asseyons-nous, asseyez-vous.** Remarquez la différence entre **il s'est assis** *he sat down* et **il est assis** *he is seated* or *he is sitting.*

2. Étudiez ces phrases illustrant l'emploi de **on, se** et la voix passive:

On ouvre les portes à sept heures.
Les portes **s'ouvrent** à sept heures.
Le français **est parlé par** des millions de personnes.

Où **se** trouve la pharmacie?
Ici **on** parle anglais.
Le français et l'italien **se** ressemblent.

* **Après** est toujours suivi de l'infinitif passé: **après avoir fini, après être allé.**

B.   QUESTIONNAIRE

1. Qui entre en scène?
2. Qu'est-ce que Pierre se demande?
3. Qu'en dit Jean?
4. Les acteurs à la Comédie ont-ils besoin d'un souffleur?
5. Comment sont les costumes? Et le maquillage?
6. Que crie la marchande de bonbons à l'entr'acte?
7. Qu'est-ce que Pierre propose?
8. Quand a-t-on besoin de se dégourdir les jambes?
9. Qui accompagne la jeune fille?
10. Est-ce qu'elles se ressemblent?
11. Avez-vous jamais lu *Le Cid?*
12. Qui d'entre vous a jamais joué dans une pièce française? anglaise?
13. Avez-vous eu le trac?
14. Quelle était la pièce?
15. Quel rôle avez-vous joué?
16. Qui est assis devant vous?

C.   COMPOSITION

1. Peter wonders if the actors at the Comédie ever have stagefright.
2. John says that they are experienced artists.
3. Let's sit down here. Sit there.
4. I am [in the act of]° sitting down. Now I am seated.
5. Are you going to sit there? Yes, I am going to sit here.
6. How long have you been sitting down (seated)? I have just sat down.
7. This play was written by Pierre Corneille.
8. Do they speak French in Belgium?
9. French is spoken by (some) millions of persons.
10. French and Spanish resemble each other.

D.   EXERCICES

Comment dit-on en français:

1. French is spoken here.
2. Those two ladies resemble each other.
3. One would say [that they were]* sisters.
4. She is seated behind us.
5. We are seated in front of her.
6. Sit down beside me.

* Ne traduisez pas les mots entre crochets.

VINGT-ET-UNIÈME LEÇON

Dans le train

LE CHEF DE GARE (*qui annonce le départ du train*): En voiture! En voiture, s'il vous plaît! (*Hélène et Marie montent dans le train.*)

HÉLÈNE (*au porteur qui la suit*): Il n'y a **personne** dans ce compartiment. Voulez-vous bien mettre nos valises là-haut dans le porte-bagages? (*Elle lui donne un pourboire.*)

LE PORTEUR: Merci, mademoiselle.

MARIE: Nous avons de la chance d'avoir des places près de la fenêtre.

HÉLÈNE: Heureusement que le train n'est pas bondé car je déteste la foule.

MARIE: J'ai déjà pris ce train **plusieurs** fois et il y avait toujours beaucoup de voyageurs.

❋   ❋   ❋   ❋   ❋

LE CONTRÔLEUR: Les billets, s'il vous plaît! Jusqu'où allez-vous, mesdemoiselles?

MARIE: Jusqu'à Chartres. Nous allons y passer **quelques** jours, donc nous avons pris des billets aller et retour. Les voici.

LE CONTRÔLEUR: Bon. Vous allez visiter la Cathédrale sans doute?

HÉLÈNE: Oui j'**ai suivi** un cours sur l'art du Moyen-Age et je tiens à voir ce chef-d'œuvre de l'architecture gothique.

LE CONTRÔLEUR: Oui, c'est une merveille.

MARIE: Y a-t-il un wagon-restaurant dans ce train?

LE CONTRÔLEUR: Non, mais vous pourrez prendre **quelque chose** au buffet de la gare en arrivant.

MARIE: Merci. J'ai un peu faim car je **n'**ai **rien** mangé ce matin.

HÉLÈNE: Ne t'en fais pas. Nous allons descendre dans une demi-heure.

A.   RÉVISION

1. Révisez le verbe **suivre** *to follow*. Conjuguez au présent, à l'imparfait, au conditionnel et au passé composé:

> Je suis un cours de français.

2. Étudiez ces phrases qui contiennent des adjectifs, des noms et des pronoms indéfinis:

Chacun à son goût.

Il y a **quelqu'un** à la porte.

Chaque fois c'est la **même** chose.

Il n'y a **personne** à la porte.

Avez-vous **quelque chose** de bon?
Pas un n'est venu.
Elle est venue passer **quelques** jours à Paris.
Un **tel** homme.

Je n'ai **rien** entendu de nouveau.
Quelques-uns sont venus.
Je l'ai vue **plusieurs** fois.
Tout le monde l'aime.
Elle est restée **telle quelle**.

B.   QUESTIONNAIRE

1. Que crie le chef de gare?
2. Qui suit Hélène et Marie quand elles montent dans le train?
3. Qu'est-ce qu'Hélène lui dit de faire?
4. Qu'est-ce qu'elle lui donne?
5. Y a-t-il quelqu'un dans le compartiment?
6. Pourquoi Hélène et Marie ont-elles de la chance?
7. Pourquoi Hélène est-elle contente que le train ne soit pas bondé?
8. Est-ce que Marie a déjà pris ce train?
9. Combien de voyageurs y avait-il?
10. Que demande le contrôleur aux deux jeunes filles?
11. Que répond Marie?
12. Pourquoi ont-elles pris des billets aller et retour?
13. Qu'est-ce qu'elles vont visiter?
14. Quel cours Hélène a-t-elle suivi?
15. Qu'est-ce qu'elle tient à voir?
16. Nommez d'autres chefs-d'œuvre de l'architecture gothique.
17. Y a-t-il un wagon-restaurant dans le train?
18. Où pourront-elles prendre quelque chose?
19. Aimez-vous dîner au wagon-restaurant?
20. Pourquoi Marie a-t-elle faim?
21. Quand vont-elles descendre du train?

C.   COMPOSITION

1. Helen and Mary get on the train for Chartres.
2. Each one has a suitcase.

3. They are going to spend a few days in Chartres.
4. Helen is glad that the train is not crowded because she hates crowds.
5. The conductor asks for their tickets.
6. They have bought round-trip tickets.
7. Helen has taken a course in the art of the Middle Ages and wants to see the Cathedral.
8. The Cathedral of Chartres is a masterpiece of Gothic architecture.
9. Since there is no dining car, the girls will eat (take) something at the station lunch counter.
10. Mary is a bit hungry because she didn't eat anything.

D.   EXERCICES

1. Traduisez les mots entre parenthèses:

    a. (No one) —————— n'est venu.
    b. (Each one) —————— à son goût.
    c. Il n'y a (no one) —————— à la porte.
    d. (Each) —————— jour nous faisons des progrès.
    e. Voilà les (same) —————— personnes.
    f. (Some) —————— sont partis très tôt.
    g. (Everyone) —————— le fait.
    h. Elle est venue passer (a few) —————— semaines à Paris.
    i. (Several) —————— hommes ont été tués.
    j. (Not one) —————— n'a été sauvé.

2. Notez ces avertissements:

Défense de fumer.	No smoking.
Défense d'entrer.	Keep out.
Défense de cracher.	No spitting.
Défense d'afficher.	Post no bills.

VINGT-DEUXIÈME LEÇON

La radio et la télévision

JEAN: **Qu'est-ce que** tu préfères, la radio ou la télévision?

PIERRE: Cela dépend. Si je veux écouter de la bonne musique, je fais marcher la radio.

JEAN: Oui, tu as raison. Il y a davantage de musique d'orchestre à la radio.

PIERRE: La télévision est excellente pour les actualités et pour le théâtre. C'est aussi le meilleur moyen de faire connaître les artistes au grand public.

JEAN: **Quels** artistes français as-tu vus à la télévision?

PIERRE: J'ai vu la chanteuse Patachou, le mime Marcel Marceau et l'acteur Maurice Chevalier.

JEAN: **Lequel** te **plaît** surtout?

PIERRE: Chevalier, je crois.

JEAN: **Qu'est-ce qui** te **plaît** chez lui?

PIERRE: J'aime surtout son enthousiasme, son canotier et son sourire. Il est bien typiquement français.

JEAN: D'accord . . . Il y a de bons programmes à la radio et à la télévision, mais ce qui me **déplaît** c'est la publicité. Souvent je ferme la radio pour que le speaker **se taise.**

PIERRE: Oui, mon vieux, il faut avouer que la publicité est agaçante, mais si les commerçants ne faisaient pas de réclame, nous n'aurions pas ces programmes qui nous **plaisent.**

JEAN: As-tu remarqué qu'en France c'est surtout au cinéma qu'on fait de la publicité?

PIERRE: Oui, et c'est quelquefois très rigolo, n'est-ce pas?

A.   RÉVISION

1. Révisez les verbes **plaire** to please et **se taire** to be silent. Conjuguez au présent, à l'imparfait, au futur et au passé composé:

Je me plais aux États-Unis.

TRADUISEZ: taisez-vous; tais-toi; il se taisait; il s'est tu.

2. Révisez les adjectifs et les pronoms interrogatifs (Appendice 18).

ADJECTIFS (which?)	PRONOMS (which one?)
Quel livre lui plaît?	Lequel lui plaît?
Quelle robe leur plaît?	Laquelle leur plaît?

Quels livres lui plaisent?   **Lesquels** lui plaisent?
Quelles robes leur plaisent?   **Lesquelles** leur plaisent?

PRONOMS

Who? Whom? (*persons*)   What? (*things*)

Qui est tombé? (*subject*)   **Qu'est-ce qui** est tombé? (*subject*)
Qui avez-vous vu? (*object*)   **Qu'est-ce que** vous avez vu? (*object*)
A qui pensez-vous?°   **A quoi** pensez-vous?°

B.   QUESTIONNAIRE

1. Qu'est-ce que Jean demande à Pierre?
2. Que lui répond Pierre?
3. Est-ce que Jean est d'accord avec Pierre?
4. Qu'est-ce qui est surtout bon à la radio?
5. En quoi la télévision est-elle excellente?
6. Quels artistes français avez-vous vus à la télévision?
7. Quels artistes français connaissez-vous?
8. Quel artiste Pierre préfère-t-il?
9. Qu'est-ce qui lui plaît chez Maurice Chevalier?
10. Pourquoi Chevalier est-il aimé du grand public?
11. Qu'est-ce qui déplaît à Jean?
12. Que pensez-vous de la publicité à la radio et à la télévision?
13. Est-il possible de faire de la réclame amusante et spirituelle? Si oui, citez-en quelques exemples.
14. Que fait Jean pour que le speaker se taise?
15. A qui devons-nous les programmes qui nous plaisent?

° **Penser à** veut dire *to direct one's thoughts toward;* **penser de** veut dire *to have an opinion about.*

C.   COMPOSITION

1. When I wish to hear (some) good music, I turn on the radio.
2. Do you listen to the opera every week?
3. Television is the best way of acquainting the public with great performers.
4. Which French artists do you know?
5. What do you think of Chevalier?
6. What do you like about him?
7. Which of these programs do you prefer?
8. I dislike the advertising. (The advertising displeases me.)
9. You have only to turn off the radio, and the announcer's voice will be silent.
10. If the business men didn't advertise, there wouldn't be so many good programs.

D.   EXERCICES

1. Traduisez les mots entre parenthèses:

    a. (Whom) _____ a-t-il vu?
    b. Avec (whom) _____ était-elle?
    c. (What) _____ elle portait?
    d. (Which one) _____ de ses robes vous plaît?
    e. (What) _____ se passe là-bas?
    f. A (what) _____ pense-t-elle?
    g. A (whom) _____ pense-t-elle?
    h. De (what) _____ avez-vous besoin?
    i. (Of which one) _____ avez-vous besoin?
    j. Avec (what) _____ écrit-il?

2. *Whose?* se traduit par **à qui** (ownership) et **de qui** (family relationship).

> **A qui** est ce mouchoir?
> **De qui** est-il le fils?

Comment dit-on:

a. Whose book is this?   It is mine.
b. Whose pencils are those?   They are theirs.
c. Whose daughter is she?   She is Mr. Duval's daughter.
d. Whose children are those?   They are my uncle's children.
e. Whose house is that?   It is his.

VINGT-TROISIÈME LEÇON

L'automobile

JEAN: As-tu un permis de **conduire?**

PIERRE: Pas encore, mais j'aurai dix-huit ans dans deux mois et alors je compte **conduire** pour mon père.

JEAN: As-tu pris des leçons de **conduite?**

PIERRE: Oui, j'en ai pris quelques-unes et je sais assez bien **conduire.** En tout cas je ne **crains** pas d'accident.

JEAN: Si l'on fait bien attention et suit toutes les règles, on n'a rien à **craindre**.

PIERRE: Quelle est la marque de l'auto que tu **conduis?**

JEAN: C'est une petite Citroën qui ne prend pas beaucoup d'essence.

PIERRE: C'est important dans un pays où l'essence coûte si cher.

JEAN: Si ma bagnole n'était pas en panne, je te **conduirais** en ville. Les pneus sont en mauvais état et le moteur ne marche pas bien.

PIERRE: Cela ne fait rien. J'irai à pied. Comme ça, je ne dépasserai pas la limite de vitesse.

JEAN: Sans blague. Au revoir alors.

PIERRE: A bientôt.

A.   RÉVISION

1. Révisez les verbes **conduire** *to drive, conduct* et **craindre** *to fear*. Conjuguez au présent, à l'imparfait, au futur et au passé composé:

Je conduis mon auto.   Je ne crains pas d'accident.

2. Étudiez ces phrases illustrant l'emploi de **il** et de **ce** avec le verbe **être** (Appendice 19):

Il est chauffeur.   C'est un bon chauffeur.
Elle est Française.   C'est une Française.
Il est intelligent.   C'est le plus intelligent de tous [tus].
Elle est en France.   C'est en France que je l'ai connue.
Il est cinq heures.   C'est vrai. C'est le seize mars.

B.   QUESTIONNAIRE

1. Est-ce que Pierre a un permis de conduire?
2. Quel âge aura-t-il dans deux mois?
3. Qu'est-ce qu'il compte faire alors?
4. A-t-il pris des leçons de conduite?
5. Qu'est-ce qu'il ne craint pas?
6. Craignez-vous les accidents?
7. Comment peut-on éviter les accidents?
8. Quelle est la marque de l'auto que conduit Jean?
9. Pourquoi Jean préfère-t-il une petite auto?
10. Est-ce que l'essence coûte plus cher en France qu'aux États-Unis?
11. Savez-vous les noms d'autres marques d'automobiles françaises? (la Peugeot, la Renault, la Simca, la Talbot, la Panhard)
12. Conduisez-vous une voiture?
13. Où est la voiture de Jean?
14. Que ferait-il si son auto n'était pas en panne?
15. Pourquoi est-elle en panne?
16. Comment Pierre ira-t-il en ville?
17. Qu'est-ce qu'il ne dépassera pas?
18. A quelle vitesse conduisez-vous d'habitude?
19. Quelle est la limite de vitesse dans les villes?
20. Suivez-vous toujours les règles en conduisant?

C.   COMPOSITION

1. In order to drive a car it is necessary to have a driver's license.
2. We do not fear accidents because we drive carefully (**prudemment**).
3. French cars are small and do not use (take) much gasoline.
4. The Talbot and Panhard are deluxe cars.
5. The Citroën, Simca, and Renault are less expensive makes.
6. Gasoline costs much more in France than in the United States.
7. John is an excellent driver.
8. If his jalopy were not out of commission, he would drive Peter into town.

9. The tires are in a bad state, and the motor is not running well.
10. Peter will walk. That way he will not exceed the speed limit.

D.   EXERCICES

1. Formez les questions auxquelles les phrases de la *Composition* pourraient servir de réponses.

2. Apprenez ces expressions:

    a. Les autos doivent porter une plaque matricule à **l'avant** et une autre à **l'arrière.**
    b. Nous avons fait une promenade à **travers** la ville.
    c. Nous sommes allés **en dehors de** la ville.
    d. Il y a un mur **autour de** la ville.

3. L'Automobile (*m.* ou *f.*)

le volant	la roue
le frein	la corne (le klaxon)
le pare-brise	la capote
le tableau de bord	la carrosserie
le réservoir	une décapotable
un pneu crevé	une contravention
le coffre	payer une amende
le phare	faire de l'autostop
faites-le plein	

4. Employez ces expressions dans des phrases originales:

brûler un feu rouge	virage à gauche interdit
sens unique	l'embouteillage (*m.*)
stationnement interdit	rouler
chaussée glissante	doubler
croiser	déraper

VINGT-QUATRIÈME LEÇON

A la poste

MARIE: Voici une lettre **que j'ai reçue** hier de ma cousine Hélène, celle **dont** je vous ai souvent parlé. C'est dimanche son anniversaire.

JEANNE: Quel âge aura-t-elle?

MARIE: Je ne sais pas trop mais je crois qu'elle **est née** en 1945.

JEANNE: Vous allez lui offrir un cadeau?

MARIE: Oui, il faut que je me dépêche de le mettre à la poste. Si le facteur ne lui apportait rien, elle serait bien déçue... Voici le bureau de poste....

JEANNE: Pendant que vous faites la queue, j'enverrai une carte postale à ma tante et j'irai toucher ce mandat-poste.

MARIE: Entendu... (*au guichet*) Je voudrais faire recommander ce paquet **qui** contient une bague.

L'EMPLOYÉ: Quelle en est la valeur, s'il vous plaît?

MARIE: Cinquante francs, monsieur. Ce paquet arrivera-t-il avant dimanche?

L'EMPLOYÉ: Sans aucun doute.

MARIE: Est-ce qu'on vend ici des carnets de timbres?

L'EMPLOYÉ: Non, c'est au guichet en face que vous trouverez les timbres **dont** vous avez besoin.

JEANNE: Marie, j'ai ici deux lettres **que** je voudrais envoyer par avion et une autre à faire suivre pour mon cousin **qui** a déménagé le mois dernier. Où est la boîte aux lettres?

MARIE: Là-bas, à gauche, près de la Poste Restante.

A.   RÉVISION

1. Révisez les verbes **naître** *to be born* et **recevoir** *to receive.* Conjuguez:

> Je suis né au mois d'août.
> Je reçois une lettre tous les jours.
> Je n'ai pas reçu de ses nouvelles.
> Est-ce que je recevrai une bonne note en français?

2. Révisez les pronoms relatifs (Appendice 20). Étudiez ces exemples:

Voici la lettre **qui** vient d'arriver.
Voici la lettre **que** j'ai reçue ce matin.

Voici la lettre **dont** je vous parlais.
Voici la lettre **dont** le timbre est si joli.

Voici la lettre **dans laquelle** (où) Jean annonce son arrivée.
Voici la lettre à **laquelle** j'ai déjà répondu.

Voici le monsieur à **qui** j'ai donné la réponse.
Voici le courrier **auquel** je pensais.
Voici le paquet **sur lequel** on a collé les timbres.

B.   QUESTIONNAIRE

1. Qu'est-ce que Marie a reçu?
2. Quel âge a Hélène si elle est née en 1945?
3. Où êtes-vous né?
4. En quelle année êtes-vous né?
5. En quel mois êtes-vous né?
6. Comment dit-on *to mail a letter* en français?
7. Qui nous apporte le courrier?
8. Que fera Jeanne pendant que Marie fait la queue?
9. Quel cadeau Marie envoie-t-elle à Hélène?
10. Est-ce quelque chose qui lui plaira?
11. Quand recevra-t-elle le paquet?
12. Comment Jeanne voudrait-elle envoyer ses deux lettres?
13. Pour qui est la troisième lettre?
14. Où est la boîte aux lettres dont Jeanne a besoin?
15. Est-ce que vous recevez beaucoup de lettres?

C.   COMPOSITION

1. Do you receive mail every day?
2. Yesterday I received a letter which I have already answered.
3. My father asked me to mail this package.
4. Here are two others which have just arrived.
5. This one is from the town in which I was born.
6. Here are the stamps that you need.
7. I shall send this letter by airmail.
8. It is the letter about which I was speaking.

9. Write to me General Delivery.
10. Napoleon was born in 1769. (use *passé simple*)

D.　　ＥＸＥＲＣＩＣＥＳ

1. Remplacez les tirets par des pronoms relatifs convenables:

   a. Où est la lettre —————— je viens de recevoir?
   b. Voici le timbre —————— je vous parlais.
   c. Celui —————— apporte le courrier s'appelle le facteur.
   d. Voici la lettre à —————— vous pensez.
   e. C'est la lettre dans —————— il annonce son départ.
   f. C'est le monsieur à —————— vous avez donné la réponse.

2. On peut employer **lequel** (**laquelle,** etc.) pour éviter l'ambi-
   guïté:

   La femme de mon frère **laquelle** vient d'arriver est malade.
   My brother's wife who just arrived is ill.

3. Dites en français:

   a. There are trees around the post office.
   b. It has windows in front and in back.
   c. Our postman does not deliver mail outside of this neighborhood.

VINGT-CINQUIÈME LEÇON

Les vêtements

JEANNE: Est-ce que vous achetez vos vêtements tout faits?

MARIE: Non, je me fais faire toutes mes robes sur mesure par une couturière. Elle **coud** à merveille! Elle s'appelle Mademoiselle Duval.

JEANNE: Vous voulez dire la dame qui est toujours habillée en noir?

MARIE: Oui, vous la connaissez? Elle a l'air chic, n'est-ce pas? Elle s'habille avec beaucoup de goût et s'intéresse à tout **ce qui** concerne la haute couture.

JEANNE: Est-elle toujours au courant des nouvelles modes?

MARIE: Oui, tout **ce qu'**elle fait est du dernier cri.

JEANNE: D'après **ce que** vous me dites, elle est très habile.

MARIE: Oui, elle sait faire à peu près tout **ce dont** on a besoin: manteaux, (costumes) tailleurs, n'importe quoi...

JEANNE: Mon frère vient de se faire faire un pardessus et un complet chez le tailleur. Le veston et le gilet lui vont bien, mais le pantalon est un peu trop étroit.

A.   RÉVISION

1. Révisez le verbe **coudre** *to sew*. Mettez à l'imparfait, au futur, au passé composé et au conditionnel:

> Elle coud pendant que je la regarde.

2. Révisez les pronoms relatifs composés (Appendice 20). Étudiez ces exemples:

Qu'est-ce qui vous plaît?   Voilà **ce qui** me plaît.
Qu'est-ce que vous n'aimez pas?   Voilà **ce que** je n'aime pas.
De quoi avez-vous besoin?   Voilà **ce dont** j'ai besoin.

B.   QUESTIONNAIRE

1. Est-ce que Marie achète ses vêtements tout faits?
2. Vous faites-vous faire vos vêtements sur mesure?
3. La couturière de Marie coud-elle bien?

4. Comment est-elle toujours habillée?
5. A quoi s'intéresse-t-elle?
6. Est-elle toujours au courant des nouvelles modes?
7. Est-elle vraiment très habile?
8. Que sait-elle faire?
9. Où les hommes vont-ils pour se faire faire des vêtements?
10. Qu'est-ce que le tailleur vient de faire pour le frère de Jeanne?
11. Le pantalon lui va-t-il bien?
12. En quoi consiste un complet d'homme?
13. Est-ce que les Françaises ont l'air chic?
14. Est-ce que votre mère sait coudre?
15. Savez-vous coudre?
16. Comment êtes-vous habillé aujourd'hui?

C.   COMPOSITION

1. Mlle Duval was sewing when we came in.
2. I don't know what she was making.
3. I think it was a coat.
4. Did you notice what was on the table?
5. That is what we were looking for.
6. That is what we need.
7. Mlle Duval can make almost everything one needs.
8. She is interested in everything that concerns high fashion.
9. She is always dressed in black.
10. That dress fits you well.

D.   EXERCICES

1. Remplacez les tirets par des pronoms relatifs convenables:

1. Voici _____ on a besoin pour coudre.
2. _____ je n'aime pas, c'est un pantalon trop large.
3. Voilà _____ s'est passé.

4. Dites-moi —————— vous en pensez.
5. Nous avons tout —————— il nous faut.
6. Voilà —————— je parlais.
7. Voilà —————— je disais.

2. La préposition à indique l'emploi d'un objet:

une machine à écrire	a typewriter
une machine à coudre	a sewing machine
du rouge à lèvres	lipstick
du vernis à ongles	nail polish

Remarquez la différence entre:

une tasse à thé	a teacup
une tasse de thé	a cup of tea
un pot à fleurs	a flowerpot
un pot de fleurs	a flowering plant (in a pot)

VINGT-SIXIÈME LEÇON

Au bureau de tabac

JEAN: Pourquoi vend-on des timbres-poste dans les bureaux de tabac en France?

JACQUES: On y en vend parce que les timbres, le tabac et les allumettes sont tous [tus] des monopoles de l'État. On y vend aussi des journaux, des revues et même du papier à lettres.

JEAN: Je voudrais acheter des cigarettes et un briquet. Le

mien ne marche pas.

JACQUES: Si on allait au bureau de tabac en face du cinéma. Je connais le patron. Il est très sympathique. Mon oncle lui achète toujours ses pipes et ses cigares...

JEAN: Que fait ton oncle?

JACQUES: Il est avocat. On dit que je lui ressemble.

JEAN: Comment est-il?

JACQUES: Il n'est ni bien ni mal. Il est **plus** grand **que** moi. Il a les cheveux noirs et les yeux bleus. Il fait beaucoup de sport. C'est **le meilleur** joueur de tennis que je connaisse...

JEAN: Je **meurs** d'envie de fumer une cigarette. Donne-moi du feu, s'il te plaît.

JACQUES: Voici.

JEAN: Tu ne fumes pas?

JACQUES: Pas beaucoup... En Amérique on vous donne des allumettes gratis avec chaque paquet de cigarettes, n'est-ce pas?

JEAN: Oui, mais en France il faut les payer, à ce qu'il paraît.

A.   RÉVISION

1. Révisez le verbe **mourir** *to die*. Conjuguez au présent, à l'imparfait et au conditionnel:

> Je meurs d'envie de fumer.

Traduisez ces phrases:

> Je n'en mourrai pas.
> Il est mort de faim.

2. Étudiez ces phrases illustrant la comparaison des adjectifs:

> **plus**
> Marie est **aussi** grande **que** son frère.
> **moins**

Voici un **bon** livre. Celui-là est **meilleur.** C'est **le meilleur** livre de tous.
C'est l'histoire **la plus intéressante** que j'aie jamais lue.
C'est **le plus petit** enfant de la classe.

B.   QUESTIONNAIRE

1. Qu'est-ce que l'on vend dans un bureau de tabac?
2. Est-ce que vous fumez?
3. Quelle marque de cigarettes préférez-vous?
4. Avez-vous un briquet?
5. Est-ce qu'il marche bien?
6. Comment dit-on *give me a light* en français?
7. Donne-t-on des allumettes gratis avec les cigarettes en France?
8. Votre mère est-elle moins grande que votre père?
9. Faites le portrait de votre voisin(e).
10. Comment se fait-il que Jacques connaisse le patron du bureau de tabac?
11. Que fait l'oncle de Jacques?
12. Est-ce que Jacques lui ressemble?
13. Faites le portrait de l'oncle de Jacques.
14. Est-ce que vous mourez d'envie d'aller à Paris?
15. Quelle est la ville la plus intéressante que vous ayez jamais visitée?

C.   COMPOSITION

1. Stamps are sold in the cigar stores in France.
2. Jacques knows the owner because his uncle buys tobacco from him.
3. His uncle is a lawyer.
4. Jacques looks a great deal like him.
5. He is not so tall as (less tall than) he.
6. Jacques has black hair and brown eyes.
7. He is the best student in the class.
8. He smokes much more than his sister.
9. She is the most interesting girl that I have ever known.
10. In France one has to pay for matches.

D.   EXERCICES

1. Traduisez les mots entre parenthèses:

    a. Je suis (as) ————— grand que vous.
    b. Elle est (less) ————— grande que son frère.
    c. Il est (more) ————— grand qu'elle.
    d. C'est la pièce la (most) ————— intéressante que j'aie jamais
       vue.
    e. C'est la (best) ————— étudiante de la classe.
    f. C'est le garçon le (least) ————— intelligent de la classe.
    g. Son grand-père (died) —————.
    h. Sa grand'mère (is dead) —————.

2. On traduit *than* par **de** devant un nombre:

    Il y avait plus **de** vingt-cinq étudiants dans la classe.

VINGT-SEPTIÈME LEÇON

Chez le coiffeur

JEAN: Il faut que je me fasse couper les cheveux. Vous qui **avez** toujours **vécu** dans ce quartier, vous devez connaître un bon coiffeur.

HENRI: Oui, je vais toujours chez un coiffeur du boul' Mich.* Venez donc, je vous y mènerai.

* C'est ainsi que les étudiants appellent le boulevard Saint-Michel.

JEAN: Est-ce que c'est loin d'ici?

HENRI: Non, c'est tout près d'ici. Vous voulez vous faire raser aussi?

JEAN: Non, je me rase moi-même. J'aime **mieux** le rasoir électrique. De cette façon on économise le prix des lames de rasoir et de la mousse à raser.

᪵   ᪵   ᪵   ᪵   ᪵

LE COIFFEUR: C'est à vous, monsieur ... C'est pour une coupe de cheveux?

JEAN: Oui, coupez-les en brosse s'il vous plaît.

LE COIFFEUR: Bon. Avec la tondeuse ce sera **vite** fait.

JEAN: Ne vous dépêchez pas. Je ne suis pas pressé.

LE COIFFEUR: Bien, monsieur ... Voulez-vous une friction?

JEAN: Oui. Faites-moi une friction contre les pellicules et pour arrêter la chute des cheveux.

LE COIFFEUR: Vous n'avez pas envie de devenir chauve. **Tant mieux!** Rien de **pire** que les moments où l'on regrette ses cheveux.

JEAN: Oui, j'espère garder mes cheveux **aussi** longtemps **que** je **vivrai** ...

LE COIFFEUR: Bien, monsieur. Voilà qui est fait.

(Jean lui donne un pourboire.)

A.   RÉVISION

1. Révisez le verbe **vivre** *to live*. Mettez à l'imparfait, au futur et au passé composé:

> Il vit en France.
> Elles vivent de leurs rentes.

2. Étudiez ces phrases illustrant la comparaison des adverbes:

Jean parle **vite**. Marie parle **plus vite**. Jeanne parle **le plus vite** des trois.

Jean prononce **bien**. Marie prononce **mieux**. Jeanne prononce **le mieux** des trois.

Je mange **peu**. Il mange **moins**. De nous trois c'est elle qui mange **le moins**.

Nous étudions **beaucoup**. Vous étudiez **plus** (**davantage**). De nous tous ce sont eux qui étudient **le plus**.

3. Apprenez les expressions **tant mieux** et **tant pis**:

> J'ai passé un examen de mathématiques hier.
>
> J'ai réussi à mon examen. (J'y ai réussi.)   —**Tant mieux**
> J'ai échoué à mon examen. (J'y ai échoué.)   —**Tant pis.**

B.   QUESTIONNAIRE

1. Que faut-il que Jean fasse?
2. Henri connaît-il un bon coiffeur?
3. Qu'est-ce qu'Henri offre de faire?
4. Combien de fois par mois vous faites-vous couper les cheveux?
5. Jean veut-il se faire raser?
6. Est-ce que vous vous rasez tous les jours?
7. Employez-vous un rasoir électrique?
8. Est-ce que Jean est pressé?
9. Qu'est-ce que le coiffeur lui demande?
10. Avez-vous envie de devenir chauve?
11. Aimez-vous les cheveux en brosse?
12. Voulez-vous que le coiffeur emploie la tondeuse?
13. Avez-vous jamais vécu à l'étranger?
14. Connaissez-vous quelqu'un qui vit de ses rentes?
15. Comment dit-on *Long live Liberty!* en français?

C.   COMPOSITION

1. This barber works faster than that one.
2. He talks much less and works better than the other.

3. It is your turn, sir.
4. Give me a haircut, please.
5. Do not use the clippers.
6. Do you wish a scalp massage?
7. Yes, but I am in a hurry.
8. I am very hungry.
9. Long live (the) appetite!
10. Her uncle lives on his income.

D.   EXERCICES

1. Traduisez les mots entre parenthèses:

    a. Jean parle français (better) —————— que sa sœur.
    b. Elle parle (less) —————— bien que lui.
    c. Jean parle (the best) —————— de la classe.
    d. Marie comprend (little) ——————.
    e. Jeanne comprend (better) —————— que Marie.
    f. Des trois c'est Hélène qui comprend (the best) ——————.

2. Indiquez dans le dialogue deux exemples de **faire** suivi de l'infinitif et traduisez-les.

VINGT-HUITIÈME LEÇON

La musique et les disques

ROGER: Tu as là une belle collection de disques.

PIERRE: J'ai surtout de la musique de piano dans ma discothèque: du Chopin, du Debussy, du Ravel...

ROGER: Quelle interprétation de Chopin préfères-tu?

PIERRE: Je trouve que Casadesus est le meilleur interprète
de Chopin **bien qu'**il y ait d'autres pianistes qui sont excellents.

Je collectionne aussi du jazz. Je m'amuse à **battre** du bongo en sourdine en écoutant le jazz.

ROGER: Moi, je préfère les disques de Juliette Greco et d'Yves Montand. Je vois que tu as aussi un faible pour la musique française: Massenet, Saint-Saëns, Gounod, Bizet.

PIERRE: Oui, j'aime bien les compositeurs français. Veux-tu entendre mon nouveau tourne-disques? Attends **que** je mette du Berlioz **à moins que** cela **ne** t'ennuie.

ROGER: Au contraire, ça me ferait plaisir. Quel morceau vas-tu passer?

PIERRE: *La Symphonie fantastique,* **pour que** tu puisses te rendre compte de la haute fidélité de ce petit pick-up. C'est un transistor à piles.

ROGER: C'est formidable. Avec cela on peut écouter ses disques partout!

A.   RÉVISION

1. Révisez le verbe **battre** *to beat* qui est régulier sauf au singulier du présent de l'indicatif. De même aussi se **battre** *to fight.* Mettez au plus-que-parfait, à l'imparfait, au futur et au passé composé.

Il bat la mesure.   Les soldats se battent courageusement.

2. Étudiez bien ces conjonctions qui sont suivies du subjonctif (Appendice 15):

Attendez **jusqu'à ce** qu'elle parte. (Attendez **qu'**elle parte.)
Faites-le **bien que** (**quoique**) ce soit difficile.
Entrez **pour que** (**afin que, de sorte que**) nous puissions vous voir.
Ne sortez pas **sans qu'**il le sache.
Il est arrivé **avant qu'**elle **ne** soit partie.
Je le ferai **pourvu que** vous me donniez une récompense.
Vous allez échouer **à moins que** vous **ne** fassiez des progrès.

B.   QUESTIONNAIRE

1. De quoi Roger et Pierre parlent-ils?
2. Savez-vous le nom d'une composition de Chopin? de Debussy? de Ravel?
3. Pour quel instrument Chopin a-t-il composé surtout?
4. Qui est le meilleur interprète de Chopin selon Pierre?
5. Avez-vous jamais entendu jouer Casadesus à la radio? en personne?
6. Est-ce que les microsillons coûtent plus cher en France qu'aux États-Unis?
7. Quel est l'avantage des microsillons?
8. Aimez-vous le jazz? Pourquoi? (Pourquoi pas?)
9. Avez-vous une discothèque (une collection de disques)?
10. Avez-vous entendu des disques d'Yves Montand ou de Juliette Greco?
11. A quoi Pierre s'amuse-t-il en écoutant le jazz?
12. Qu'est-ce que Massenet a composé? Saint-Saëns? Gounod? Bizet?
13. Avez-vous jamais vu *Faust* ou *Carmen?*
14. Avez-vous un tourne-disques de haute fidélité?
15. Qu'est-ce que vous pensez du ballet?
16. Quel disque Pierre met-il?
17. Pourquoi passe-t-il ce disque?
18. Quel compositeur préférez-vous?
19. Quelle composition classique vous plaît surtout?
20. Savez-vous le nom d'un chef d'orchestre français?

C.   COMPOSITION

1. Although Peter has a fine collection of piano recordings, he also likes other instruments.
2. Ravel's *Boléro* is a good example of rhythm and crescendo.
3. It begins softly and ends very loud.
4. The orchestra leader keeps time for the musicians.
5. Long-playing records cost more in France than in the United States.
6. Massenet composed the opera *Thaïs*.

7. *The Swan* belongs to the *Carnival of Animals* by Saint-Saëns.
8. We danced until the music stopped.
9. Wait until you hear my new record player.
10. Let's put on this record unless you dislike it (unless it displeases you).

D.   EXERCICES

1. Remplacez les tirets par le présent du subjonctif des verbes entre parenthèses:

   a. J'attendrai qu'elle (venir) _____.
   b. Venez donc, à moins que vous ne (être) _____ trop fatigué.
   c. Entrons sans qu'il le (savoir) _____.
   d. Nous irons pourvu que vous (avoir) _____ le temps.
   e. Donnez-moi de l'argent pour que je (faire) _____ le marché.
   f. Nous restons toujours de bonne humeur bien qu'on nous (*beat*) _____.
   g. Il faudra que nous (aller) _____ en ville.
   h. Quoiqu'elle (être) _____ jolie, elle n'est pas mariée.
   i. Je doute que vous (pquvoir) _____ le faire.
   j. Il vaut mieux que je (faire) _____ un somme.

2. On dit **jouer aux cartes, au tennis, à la balle** (*games*) mais **jouer du piano, du violon, de la harpe** (*musical instruments*).

3. Employez ces expressions dans des phrases:

battre les cartes
battre des mains (applaudir)
battre son plein
battre du tambour
battre le pavé

VINGT-NEUVIÈME LEÇON

Le cinéma

JEANNE: J'ai vu le nouveau film de Fernandel hier soir.

MARIE: Est-ce un bon film?

JEANNE: Oui, excellent. C'est une satire des Méridionaux.
On **a** beaucoup **ri**. L'accent du Midi est toujours si drôle. Il y a
aussi des dessins animés qui sont tordants. **Il ne faut pas** y aller
si vous voulez voir quelque chose de sérieux.

121

MARIE: Non, j'ai envie de **rire.** Et les actualités?

JEANNE: On a montré des courses de chevaux à Longchamp et des étapes du Tour de France qui finira **dans** quelques jours.

MARIE: Est-ce que Fernandel a jamais tourné un film à Hollywood?

JEANNE: Non, je ne crois pas qu'il parle anglais, mais il ferait **rire** dans n'importe quelle langue.

MARIE: Avez-vous vu quelques films de la nouvelle vague?

JEANNE: Oui, pas mal.

MARIE: Je trouve que les films français sont très originaux mais souvent un peu obscurs—*Hiroshima mon amour* et *L'Année dernière à Marienbad* par exemple. **Il** est si agréable **de** voir à l'écran les vedettes françaises.

JEANNE: Est-ce que vous comprenez toujours le dialogue en français?

MARIE: Non, pas toujours, mais les sous-titres en anglais m'aident souvent à comprendre.

A.   RÉVISION

1. Révisez le verbe **rire** *to laugh.* Conjuguez ces phrases:

> Si je ris trop fort, je dérangerai les autres.
> Si je ne riais pas, je n'aurais pas l'air de m'amuser.
> Je rirai quand je le verrai.
> Si j'avais vu ce film, j'aurais bien ri.

TRADUISEZ: Rira bien qui rira le dernier.

2. Faites la distinction entre:

Il ne faut pas le faire.	Il n'est pas nécessaire de le faire.
(You must not do it.)	On n'est pas obligé de le faire.
	(You don't have to do it.)

Elle arrivera **dans** cinq jours.   Elle l'a fait **en** cinq jours.
   (at the expiration of)   (within a period of)

Il est difficile **de** faire cela.   C'est difficile **à** faire.
   (*infinitive has object following*)   (*infinitive has no following ob-
                                                ject*)

B.   QUESTIONNAIRE

1. Qui est la vedette dans le film qu'a vu Jeanne?
2. Est-ce un bon film?
3. Quel genre de film est-ce?
4. Est-ce amusant?
5. Dans quelle partie de la France l'action a-t-elle lieu?
6. Préférez-vous les films en couleurs?
7. Est-on obligé d'aller en France pour apprendre le français?
8. Aimez-vous les actualités? Pourquoi?
9. Qu'est-ce qu'on voit dans les actualités?
10. Pourquoi Fernandel n'a-t-il jamais tourné un film en Amérique?
11. Est-ce que les dessins animés de «Donald» vous font rire?
12. Allez-vous souvent au cinéma?
13. Quel est le film le plus récent que vous ayez vu?
14. Qu'est-ce que c'est que le Tour de France?
15. Est-ce qu'on fait beaucoup de films en couleurs en France?
16. Quels films français avez-vous vus?
17. Qu'est-ce que la nouvelle vague?
18. Est-ce que vous comprenez le dialogue en français?
19. Qu'est-ce qui vous aide à comprendre?

C.   COMPOSITION

1. You mustn't go to see that film unless you feel like laughing.
2. It will be shown (use **on**) here in two weeks.
3. It is better than the play.

4. If you had seen that film, you would have laughed too.
5. My little brother likes the newsreels and animated cartoons especially.
6. It is hard to say which of the two is the more interesting.
7. Yes, it is hard to say.
8. The subtitles in English often help us to understand.
9. If I had more time, I'd go to the movies more often.
10. We came out of the movie laughing.

D.   EXERCICES

Remplacez les tirets par des prépositions convenables:

1. Paris ne s'est pas fait _____ un seul jour.
2. Il est difficile _____ lire ce livre.
3. Ce livre est difficile _____ lire.
4. Voulez-vous quelque chose _____ manger?
5. J'ai vu quelque chose _____ intéressant hier.
6. Elle est sortie _____ riant.

TRENTIÈME LEÇON

Un pique-nique

MARIE: Si nous faisions un pique-nique samedi prochain?

HÉLÈNE: Quelle bonne idée—pourvu qu'il ne **pleuve** pas!

MARIE: En ce cas il faudrait changer d'avis.

HÉLÈNE: Je n'oublierai jamais notre dernier pique-nique. Il **a plu** à verse. Nous **avons** vite **couru** chez nous pour ne pas être trempés!

MARIE: Cette fois-ci il ne **pleuvra** pas. Ou même s'il **pleuvait,** nous **courrions** jusqu'à un abri.

HÉLÈNE: Est-ce que nous irons à pied, à bicyclette ou en auto?

MARIE: Allons à pied. Mais d'abord il faut inviter les copains et préparer les provisions.

HÉLÈNE: Si nous emportions des sandwiches au jambon, des cornichons, des œufs durs, des gâteaux secs, des fruits et du café.

MARIE: N'oubliez pas le sel, le poivre et le sucre!

HÉLÈNE: Non, je n'oublierai rien. Et naturellement j'emporterai aussi des verres et des assiettes en plastique—c'est plus pratique.

MARIE: **Que** chacun **emporte** son maillot de bain. S'il fait chaud, on pourra nager dans le lac.

HÉLÈNE: Nous allons bien nous amuser!

A.   RÉVISION

1. Révisez les verbes **courir** *to run* et **pleuvoir** *to rain*. Conjuguez au présent, à l'imparfait, au conditionnel et au passé composé:

Je cours vite.

Mettez à l'imparfait, au futur, au passé composé et au plus-que-parfait:

Il pleut à verse.

2. L'impératif de la troisième personne dérive du présent du subjonctif et se traduit par *let*:

(Elle ne veut pas prendre l'autobus.)   Qu'elle aille à pied.
(Les étudiants attendent à la porte.)   Qu'ils entrent.

B.   QUESTIONNAIRE

1. Quand Marie veut-elle faire un pique-nique?
2. Qu'en dit Hélène?
3. Que n'oubliera-t-elle jamais? Pourquoi?
4. Où ont-ils couru? Étaient-ils secs?
5. Est-ce qu'il va pleuvoir cette fois-ci selon Marie?
6. Où courront-ils s'il pleut cette fois-ci?
7. Comment iront-ils au pique-nique?
8. Que faut-il faire d'abord?
9. Quelles provisions apportera-t-on?
10. Qu'est-ce qu'il ne faut pas oublier?
11. Dans quoi servira-t-on la nourriture?
12. Aimez-vous faire un pique-nique? Pourquoi?
13. Savez-vous monter à bicyclette? A cheval?
14. Savez-vous conduire une automobile?
15. Avez-vous jamais fait un long voyage en auto?
16. Savez-vous nager?

C.   COMPOSITION

1. Suppose we go to the picnic on bicycles.
2. Let Helen go on foot if she wants [to].*
3. John ran very fast.
4. If it rains, they will run to the shelter.
5. Let each one bring along his own food.
6. Here are the salt, pepper, and sugar.
7. Don't forget them.
8. Let's bring ham sandwiches, hard-boiled eggs, pickles, hot coffee, and fruit.
9. Can you think of anything else (**autre chose**)?
10. Yes, let's not forget the cookies.

* Ne traduisez pas le mot entre crochets.

D.   EXERCICE

Conjuguez:

> Je suis monté en courant.
> J'ai couru chez moi, tu as couru chez toi, etc.

Appendice et Vocabulaire

Appendice I

1. THE FRENCH ALPHABET

a	a	h	ache	o	o	v	vé
b	bé	i	i	p	pé	w	double vé
c	cé	j	ji	q	ku	x	iks
d	dé	k	ka	r	erre	y	i grec
e	[ə]	l	elle	s	esse	z	zède
f	effe	m	emme	t	té		
g	gé	n	enne	u	u		

The letters are masculine gender. Double letters are spelled:
deux t, deux l (avec liaison), etc. Capital *d* is **d majuscule;** small
d is **d minuscule.**

131

2. PRONUNCIATION CHART

i, î, y	[i]	si, île, y
é, -ez, -ai, et -es, -er, -ier	[e]	étiez, j'ai, et les, aller, janvier
è, ê, -ai- -ei-, e+C°	[ɛ]	lève, bête, chaise peine, chef
a, à	[a]	table, à, quatre
a+s, â	[ɑ]	pas, base, âge
o+C°	[ɔ]	école, note, dot
o, ô, au eau	[o]	mot, rôle, autre beau
ou, où, oû	[u]	fou, où, goût
u, û, eu (avoir)	[y]	du, mûr, (j'ai) eu
eu	[ø]	peu, deux
eu+C°, oeu+C°	[œ]	neuf, beurre, œuf
gn	[ɟ^r]	signe, magnifique
e	[ə]°°	le, devant, monsieur
oi	[wa]	moi, voici, trois
-il, -ll-	[j]	œil, fille, travaille, soleil
-s-, z	[z]	rose, onze, douze
-ss, ç c+e, i	[s]	aussi, façade, reçu cent, ciel
c+a, o, u qu	[k]	car, corps, vaincu qui, que
ch	[ʃ]	cher, riche
v, w	[v]	va, wagon
ph	[f]	photo
th	[t]	théâtre
j, g+e, i	[ʒ]	je, rouge, gilet
gu, g+a, o, u	[g]	guerre, gare, Guy

° C = pronounced consonant

°° [ə] = unstable e (e without a written accent at the end of a word or syllable).

NASALS:

un [œ̃] bon [bõ] vin [vɛ̃] blanc [blɑ̃]; un parfum; bon nombre; vin, pain, plein, vient, faim, loin; blanc, enfant, chambre

DENASALIZATION:

une bonne voisine; inutile, innocent; imiter, immédiat

SILENT ENDINGS:

Final consonants are usually silent, except c, r, f, l, and q. Final r is pronounced in monosyllables (fer, mer) and in amer, cuiller, enfer, fier, hiver, and infinitives in ir. The third person plural verb ending -ent is normally silent. -ille is pronounced as i+l in mille, ville, tranquille, and their derivatives.

LIAISON:

d = t in un grand homme; s = z in nous avons; x = z in dix enfants; f = f in neuf enfants; but f = v in neuf ans, neuf heures. No liaison before aspirate *h* in les heros. H is always silent. No liaison after et and alors.
Intervocalic t is pronounced s in nation, initier, démocratie, balbutier, etc.

3. THE ARTICLES

INDEFINITE (un, une *a, an;* des *some*)

un étudiant m.	des étudiants m.
une étudiante f.	des étudiantes f.

DEFINITE (le, la, les *the*)

le professeur	les professeurs
la maison	les maisons
l'étudiant m.	les étudiants m.

l'étudiante f.   les étudiantes f.
l'homme m.   les hommes m.
l'heure f.   les heures f.

CONTRACTIONS: à + le = au; à + les = aux; de + le = du; de + les = des

au professeur   aux professeurs
du professeur   des professeurs

4.   ADJECTIVES

FORMATION OF THE FEMININE

a. Add -e to the masculine singular form normally:
    petit   petite   occupé occupée   joli jolie
    Adjectives ending in -e remain unchanged:
    jeune   jeune   pauvre pauvre

b. Adjectives in -er take a grave accent on the e preceding the r:
    premier   première   léger légère

c. Adjectives in -f change -f to -ve:
    vif vive   neuf neuve   naïf naïve

d. Adjectives in -x change -x to -se:
    heureux heureuse   curieux curieuse

e. Adjectives in -el, -eil, -en, -on, -et double the consonant and add e:
    tel   telle   bon   bonne
    pareil   pareille   muet   muette
    ancien   ancienne

f. Irregular feminines:
    blanc   blanche   long   longue
    franc   franche   gros   grosse
    frais   fraîche   faux   fausse
    sec   sèche   doux   douce

g. Five adjectives have two forms for the masculine singular:

beau, bel°	belle
nouveau, nouvel	nouvelle
fou, fol	folle
mou, mol	molle
vieux, vieil	vieille

FORMATION OF THE PLURAL

a. The plural of an adjective is formed by adding -s to the singular form, masculine or feminine:

joli	jolis	jolie	jolies
bon	bons	bonne	bonnes

b. Adjectives in -s or -x do not change in the masculine plural:

frais	frais	heureux	heureux

The feminine forms are:

fraîche	fraîches	heureuse	heureuses

c. Adjectives in -al change -al to -aux in the masculine plural (except banal, banals and final, finals):

général	généraux	principal	principaux

The feminine forms are:

générale	générales	principale	principales

d. Adjectives in -eau take -x in the masculine plural:

beau	beaux	nouveau	nouveaux

The feminine forms are:

belle	belles	nouvelle	nouvelles

POSITION

a. In general the adjective follows the noun:
  une leçon difficile
  un crayon rouge
  la littérature française contemporaine

° The second form of each of these pairs is used before a masculine singular noun beginning with a vowel or mute *h*:
  un bel enfant   **un vieil homme**   **le nouvel an**

b. Twelve short and frequently used adjectives precede the noun:

autre	gentil	jeune	mauvais
beau	grand	joli	petit
bon	gros	long	vieux

c. Certain adjectives vary in meaning according to their position:

mon **cher** ami *my dear friend*   un repas **cher** *an expensive meal*

le **pauvre** homme *the unfortunate*   un homme **pauvre** *an indigent*
man   *man*

la **dernière année** *the final year*   l'année **dernière** *last year*

mon **ancien** professeur *my for-*   l'histoire **ancienne** *ancient his-*
mer professor   *tory*

le **même** jour *the same day*   le jour **même** *the very day*

J'ai les mains **propres**. *My hands*   Je l'ai fait de mes **propres** mains.
are clean.   *I made it with my own hands.*

Napoléon était un **grand** (*great*) homme, mais pas un homme **grand** (*tall*).

5.   NOUNS

FORMATION OF THE PLURAL

a. The plural of a noun is formed by adding -s to the singular form:

un enfant	la leçon
des enfants	les leçons

b. Nouns ending in -s, -x, or -z remain unchanged:

le bois	la voix	le nez
les bois	les voix	les nez

c. Nouns in -eau or -eu take -x:

le bureau	les bureaux	le feu	les feux

d. Nouns in -al change -al to -aux (except **bal, bals**):

le cheval	les chevaux	le général	les généraux

e. Irregular plurals:

œil	yeux	ciel	cieux

6.   NUMERALS

CARDINAL NUMBERS

1 un, une	6 six	11 onze	16 seize
2 deux	7 sept	12 douze	17 dix-sept
3 trois	8 huit	13 treize	18 dix-huit
4 quatre	9 neuf	14 quatorze	19 dix-neuf
5 cinq	10 dix	15 quinze	20 vingt

21 vingt et un	70 soixante-dix
22 vingt-deux, etc.	71 soixante et onze
30 trente	72 soixante-douze, etc.
31 trente et un	80 quatre-vingts
32 trente-deux, etc.	81 quatre-vingt-un, etc.
40 quarante	90 quatre-vingt-dix
41 quarante et un	91 quatre-vingt-onze
42 quarante-deux, etc.	92 quatre-vingt-douze, etc.
50 cinquante	100 cent
51 cinquante et un	101 cent un
52 cinquante-deux, etc.	102 cent deux, etc.
60 soixante	1.000 mille
61 soixante et un	1.001 mille un, etc.
62 soixante-deux, etc.	1.000.000 un million (de)

ORDINAL NUMBERS

Ordinal numbers are formed by adding -ième to the cardinal, except premier:

1st	premier, première
2nd	deuxième or second, seconde
3rd	troisième
5th	cinquième (note addition of u after q)
9th	neuvième (note change of f to v)
21st	vingt et unième
22nd	vingt-deuxième
	etc.

FRACTIONS

> ½ demi adj.; la moitié noun
> ⅓ un tiers   ¼ un quart
> ⅔ deux tiers   ¾ trois quarts

All other fractions are read as in English: ⅝ cinq huitièmes.

DECIMALS

A comma is used in French before a decimal; a period, to separate groups of digits:

> 4,05   four and five hundredths
> 10.000 fr.   10,000 francs

Note: The French practice is just the reverse of our own.

REMARKS

a. Cardinal numbers are invariable except in the following cases:
> un has a feminine form une: vingt et une pages.
> Multiples of vingt and cent take an s when not followed by another numeral: deux cents ans; but, deux cent cinquante.
> Mille is always invariable: dix mille.
> Million requires un before it in the singular and takes an s in the plural: Un million de dollars; cinq millions six cents habitants.

b. Numbers from 1100 to 1900 may be expressed in multiples of cent as in English, but higher multiples must be expressed in thousands.
> l'année dix-neuf cent soixante
> six mille trois cents

c. -aine f. may be added to some cardinal numbers to mean approximately that number:
> une vingtaine *about twenty*   une centaine *about one hundred*

d. un millier   (*about a*) *thousand*:
> des milliers d'hommes   *thousands of men*

7.   ADVERBS

FORMATION

a. In addition to many simple adverbs such as **déjà, encore, souvent,** most adjectives can be made into adverbs by adding **-ment** to the feminine singular:
   doux   douce   doucement
   heureux   heureuse   heureusement

b. If the adjective ends in a vowel, the adverb is formed by adding **-ment** directly to the masculine:
   facile   facilement   rare   rarement   poli   poliment
   (Except adjectives in 4g: **nouvellement, follement**)

c. Note the following variations:

récent	récente	récemment
constant	constante	constamment
énorme	énorme	énormément
précis	précise	précisément

POSITION

a. Adverbs are usually placed after the verb in simple tenses, and after the auxiliary verb in compound tenses:
   Elle aime beaucoup la musique. Elle a beaucoup aimé le concert.

b. Adverbs of time follow the past participle in compound tenses (see p. 17).

8.   PARTICIPIAL AGREEMENT

a. If the auxiliary is **avoir,** the past participle agrees with the direct object, provided that the direct object *precedes* the participle:

J'ai vendu la maison.	*I sold the house.*
Je l'ai vendue.	*I sold it.*

b. If the auxiliary is **être** (not reflexive), the past participle agrees with the subject:
   Elle est arrivée.   *She has arrived.*

c. If the auxiliary is **être** (reflexive), follow the rule for **avoir**:
   Elle s'est lavé les mains.   *She washed her hands.*
   Elle s'est levée.   *She got up.*

d. There is never any agreement with **en**:
   J'ai vu des films.   J'en ai vu.   *I saw some films.   I saw some.*

e. **Faire** does not agree when followed by an infinitive:
   L'ordonnance que j'ai fait préparer.

9.   PREPOSITIONS WITH REFERENCE TO PLACE NAMES

a. To express *in, to, into* with names of cities, use **à**:
   à Boston, à Londres.
   A few cities require the definite article:
   à la Nouvelle Orléans, au Havre

b. With feminine singular names of countries use **en**:
   en Espagne, en Hollande, en Belgique, en Allemagne.

c. With masculine singular names of countries use **au**:
   au Mexique, au Japon, au Portugal.

d. With all plural names of countries use **aux**:
   aux Indes f., **aux États-Unis** m.
Note: Names of countries ending in **-e**, except **le Mexique**, are feminine. All others are masculine.

e. With any of the five continents use **en**. If the name of the continent is modified, use **dans** and the definite article:
   en Amérique, dans l'Amérique du Nord, dans l'Amérique du Sud.
   (**En Amérique du Sud** is also acceptable.)

f. With Gallicized names of states ending in -e, use **en** and **dans le** for the rest. If in doubt, the phrase **dans l'état de** may always be used:

> en Californie, en Virginie, dans le Wisconsin, dans l'Indiana, dans l'état de New York.

g. *From* is expressed by **de** with or without the definite article as explained above:

> Il vient de Paris, du Havre, d'Espagne, du Canada, des États-Unis.

10.   TIME OF DAY

a. In ordinary conversation time of day is given on a twelve-hour basis as in English:

Il est midi.	*It is noon.*
Il est midi cinq.	*It is 12:05.*
Il est midi et quart; or, il est midi un quart.	*It is 12:15.*
Il est midi et demi.	*It is 12:30.*
Il est une heure moins vingt.	*It is 12:40.*
Il est une heure moins le quart; or, il est une heure moins un quart.	*It is 12:45.*
Il est une heure moins cinq.	*It is 12:55.*
Il est deux heures (de l'après-midi).	*It is 2:00* P.M.
Il est sept heures dix.	*It is 7:10.*
Il est onze heures (du soir).	*It is 11:00* P.M.
Il est minuit.	*It is 12:00 (midnight).*
Il est une heure et demie (du matin).	*It is 1:30* A.M.
Il est trois heures précises.	*It is exactly 3:00.*
un quart d'heure	*a quarter of an hour*
une demi-heure	*half an hour*
une heure et demie	*an hour and a half*

b. In railway time-tables, theater advertisements, etc., time is given on a twenty-four hour basis to avoid confusion:

16h 30	seize heures trente; or, 4h 30 de l'après-midi
21h	vingt et une heures; or, 9h du soir
0h 15	zéro (heure) quinze; or, minuit et quart

11.   DATES, TELEPHONE NUMBERS, RULERS

a. Use the cardinal number in every case except *first* when expressing dates:

le 1ᵉʳ mars	le premier mars
le 2 juin	le deux juin
le 4 juillet	le quatre juillet
1968	dix-neuf cent soixante-huit; or,
	mille (mil) neuf cent soixante-huit

b. Phone numbers are grouped in pairs: **Elysée 29-41 (vingt-neuf quarante et un)**

c. Use cardinal numbers for rulers in every case except *the first:*

François Iᵉʳ (premier)	**Georges V (cinq)**
Henri II (deux)	**Louis XIV (quatorze)**

12.   CONDITIONAL SENTENCES

a. Use the present indicative in the *if*-clause when the verb of the main clause is present, future, or imperative:

Si j'ai l'occasion, je lis beaucoup.
If I have the opportunity, I read a great deal.
Si j'ai l'occasion, je lirai ce roman.
If I have the opportunity, I'll read this novel.
Si vous avez l'occasion, lisez cette histoire.
If you have the opportunity, read this story.

b. Use the imperfect indicative in the *if*-clause when the verb of the main clause is conditional:

Si j'avais l'occasion, je lirais davantage.
If I had the opportunity, I'd read more.

c. Use the pluperfect indicative in the *if*-clause when the verb of the main clause is conditional perfect:

Si j'avais eu l'occasion, j'aurais lu davantage.
If I had had the opportunity, I'd have read more.

Note: Never use the future or the conditional in the *if*-clause unless si means *whether:*

Je ne sais pas s'il viendra.
I don't know if (whether) he will come.
Je ne savais pas s'il viendrait.
I didn't know if (whether) he would come.

13. THE PARTITIVE

a. *Some* or *any* as an adjective is expressed by **de** plus the definite article:
Voici du pain, de l'eau, de la viande et des œufs.

b. In the following three cases **de** alone is used:
after expressions of quantity: Il a beaucoup d'argent.
after a negative: Il n'a pas d'amis.
before a plural adjective: Il y a de gros nuages.

c. *Some* or *any* as a pronoun is expressed by **en.** *Of it* or *of them* is also expressed by **en:**
J'en ai. *I have some.*   J'en ai deux. *I have two of them.*

14. OBJECT PRONOUNS

a. Order before the verb

me				
te	le			
se	la	lui	y	en
nous	les	leur		
vous				

b. Order after the verb

	moi (m')*		
	toi (t')*		
le	lui		
la	nous	y	en
les	vous		
	leur		

c. The forms **moi, toi, lui, elle, nous, vous, eux, elles** are stressed forms. They are used:

    1. after **c'est** or **ce sont** (whether expressed or implied):
        —**Qui est là?**   —**C'est moi.** (or, **Moi.**)

    2. after prepositions: **avec lui, sans elle**

    3. in a compound subject: **lui et moi, lui et elle**

    4. after **que** in comparisons: **plus beau que lui, plus grand que moi**

    5. for emphasis: **Moi, je ne sais pas.** I *don't know.*

    6. as indirect object of the verb **présenter** when the direct object is **me** (**moi**), **te** (**toi**), **se, nous,** or **vous**:

Il m'a présenté à elle.   *He introduced me to her.*
Il s'est présenté à moi.   *He introduced himself to me.*

15.   SUBJUNCTIVE MOOD

a. The first person singular of the present subjunctive of many verbs may be found by dropping **-nt** from the third person plural of the present indicative:

    ils reçoivent (que) je reçoive   **ils prennent (que) je prenne**

b. Used after impersonal expressions (**il faut, il est nécessaire, il vaut mieux,** etc.):

Il faut que j'aille voir le médecin.   *I must go and see the doctor.*
Il vaut mieux que je fasse un   *It is better that I take a nap.*
somme.

c. Used after expressions of joy or sorrow (**je suis content, je regrette, c'est dommage,** etc.):

---

* **Moi** and **toi** become **m'** and **t'** before **en: Donnez-m'en. Va-t'en.**

| Je suis content que vous soyez venu. | *I am glad you came.* |
| Je regrette qu'elle soit partie. | *I am sorry she has left.* |

d. Used after verbs of wishing, wanting, commanding (**je veux, je désire, j'ordonne,** etc.):

| Mon père veut que je lui obéisse. | *My father wants me to obey him.* |
| Il désire que j'aille avec lui. | *He wants me to go with him.* |

e. Used after expressions of doubt or fear (**je doute, je crains, j'ai peur,** etc.):

Je doute qu'il le sache.	*I doubt that he knows it.*
Je crains qu'il ne* vienne.	*I'm afraid he will come.*
Je crains qu'il ne vienne pas.	*I'm afraid he won't come.*

f. Used in case of indefinite antecedent:

| Je cherche quelqu'un qui sache le grec. | *I'm looking for some one who knows Greek.* |

g. Used after a superlative (also **seul, premier, dernier**) when opinion is involved:

| C'est le meilleur livre que j'aie jamais lu. | *It's the best book that I've ever read.* |

h. Used after certain conjunctions (**bien que, quoique, pour que:** see p. 118):

| Bien qu'elle soit jolie, elle n'est pas mariée. | *Although she is pretty, she is not married.* |

i. Often used after verbs of thinking or believing in the negative or interrogative forms:

| Je ne crois pas qu'il vienne. | *I do not think he will come.* |
| Croyez-vous que ce soit vrai? | *Do you think it's true?* |

Note: Current usage seems to permit the indicative in the two preceding examples: **Je ne crois pas qu'il viendra. Croyez-vous que c'est vrai?** *Affirmative* belief (**penser, croire**) and **espérer** *to hope* always take the indicative.

* Pleonastic **ne** is used after verbs of *fearing* and the conjunctions **à moins que** and **avant que.** It has no negative force and is not translated.

16.   NEGATION

ne . . . . pas	*not*
ne . . . . point (less frequent, more emphatic than ne . . . . pas)	*not*
ne . . . . plus	*no more, no longer*
ne . . . . que	*only*
ne . . . . rien	*nothing*
ne . . . . personne*	*no one*
ne . . . . jamais	*never*
ne . . . . guère	*scarcely*
ne . . . . aucun*	*none, no*
ne . . . . nul	*none, no*
ne . . . . ni . . . . ni	*neither . . . . nor*

Pas encore.	*Not yet.*
Pas du tout.	*Not at all.*
Pas que je sache.	*Not that I know of.*
Pourquoi pas?	*Why not?*
Pas de viande.	*No meat.*
Plus de viande.	*No more meat.*
Rien du tout.	*Nothing at all.*
N'importe où.	*No matter where; anywhere.*
N'importe qui.	*No matter who; anyone.*
N'importe quoi.	*No matter what; anything.*
N'importe quand.	*No matter when; anytime.*
Être ou ne pas être.	*To be or not to be.*
Nulle part.	*Nowhere.*

17.   ORTHOGRAPHICAL CHANGING VERBS

a. Verbs in -cer require ç before a or o:

commencer: commençant   commençais   commençons

* In compound tenses **personne** and **aucun** follow the past participle:
Il n'a cru personne.   He didn't believe anyone.
Je n'en ai vu aucun.   I didn't see a single one of them.

b. Verbs in -ger require an e before a or o:

manger: mangeant   mangeais   mangeons

Note: Apercevoir, recevoir, etc. require ç before o or u: aperçoit, aperçu.

c. **Acheter, mener, geler** take a grave accent on the e of the stem when it is in stressed position in the present indicative and present subjunctive. This grave accent is found in all persons of the future and conditional:

PRES. INDIC.	PRES. SUBJ.	FUT.	COND.
j'achète	j'achète	j'achèterai	j'achèterais
tu achètes	tu achètes	tu achèteras	tu achèterais
il achète	il achète	il achètera	il achèterait
nous achetons	nous achetions	nous achèterons	nous achèterions
vous achetez	vous achetiez	vous achèterez	vous achèteriez
ils achètent	ils achètent	ils achèteront	ils achèteraient

d. **Appeler, épeler, jeter** double the final consonant of the stem in the same instances as cited above for **acheter**:

PRES. INDIC.	PRES. SUBJ.	FUT.	COND.
j'appelle	j'appelle	j'appellerai	j'appellerais
nous appelons	nous appelions	nous appellerons	nous appellerions

e. **Espérer, céder, préférer** change the acute accent to a grave in the same persons of the present indicative and present subjunctive where **acheter** takes an accent. The first and second persons plural of the present indicative and subjunctive and all persons of the future and conditional retain the acute accent of the infinitive:

j'espère	j'espère	j'espérerai	j'espérerais
nous espérons	nous espérions	etc.	etc.

f. Verbs in -oyer and -uyer (**employer, essuyer**) change the y to i before a mute e in the same instances as given above for **acheter**:

j'emploie	j'emploie	j'emploierai	j'emploierais
nous employons	nous employions	etc.	etc.

Note: **envoyer** has an irregular future and conditional:

j'enverrai   j'enverrais

g. Verbs in -ayer (**payer**) may either retain the y throughout or change the y to i before a mute e.

18.   INTERROGATIVE FORMS

a. There is only one interrogative adjective: **quel, quelle, quels, quelles** *which*

b. Pronouns

	persons (*who, whom*)	things (*what*)
Subject	**qui?** *or*	
	qui est-ce qui?	**qu'est-ce qui?**
Direct object	**qui?** *or*	**que?**
	qui est-ce que?	**qu'est-ce que?**
After a preposition	**qui? (à qui? de qui?)**	**quoi? (à quoi? de quoi?)**

c. Note word order:

Qui avez-vous vu?	*Whom did you see?*
Qui est-ce que vous avez vu?	*Whom did you see?*

19.   CE AND IL AS SUBJECT OF ÊTRE

a. **Il(s)** and **elle(s)** are used before **être** for *he, she,* and *they* when **être** is followed by an adjective or an unmodified noun:
   Il est intelligent.   **Il est dentiste.**

b. **Ce** is used before **être** to translate *it* or *that* referring to a whole idea:
   C'est vrai.   *That* (i.e. *what you just said*) *is true.*

c. **Ce** is used before **être** to translate *it, this, that, he, she,* or *they* when **être** is followed by:

a modified noun	**C'est un bon dentiste.**
a pronoun	**C'est moi.**
a proper noun	**Ce sont les Durand.**
a superlative	**C'est le plus intelligent de la classe.**

20.   RELATIVE PRONOUNS

	persons (*who, whom*)	things (*which, that*)
Subject	qui	qui
Direct object	que	que
After a preposi-tion	qui	lequel (laquelle, etc.)
whose, of which	dont	dont

a. When the relative pronoun *what* can be translated *that which,* use **ce qui** (subject) or **ce que** (object):

> **Je ne sais pas ce qui est tombé.**
> *I don't know what fell.*
> **Je ne sais pas ce que vous voulez dire.**
> *I don't know what you mean.*

b. If *what* means *that of which,* use **ce dont:**

> **Je sais ce dont vous avez besoin.**
> *I know what you need (that of which you have need).*

c. **Ce à quoi** *that of which* is rather literary:

> **Je sais ce à quoi vous pensez.**   *I know what you are thinking about.*
> One usually hears:
> **Je sais à quoi vous pensez.**

Appendice II

FORMATION OF TENSES OF REGULAR VERBS *

* For translation of verb forms see conjugations which follow.

1. The *infinitive* serves as the stem for the *future* tense:
   I. donner + -ai, -as, -a, -ons, -ez, -ont
   II. finir + -ai, -as, -a, -ons, -ez, -ont
   III. vendr$\not e$ + -ai, -as, -a, -ons, -ez, -ont

   The *infinitive* also serves as the stem for the *conditional* tense:
   I. donner + -ais, -ais, -ait, -ions, -iez, -aient
   II. finir + -ais, -ais, -ait, -ions, -iez, -aient
   III. vendr$\not e$ + -ais, -ais, -ait, -ions, -iez, -aient

2. The *imperfect indicative* has the same set of endings as the *conditional,* but adds them to the *present participle* minus -ant:

   I. donnan͟t + -ais, -ais, -ait, -ions, -iez, -aient
   II. finissan͟t + -ais, -ais, -ait, -ions, -iez, -aient
   III. vendan͟t + -ais, -ais, -ait, -ions, -iez, -aient

The *present subjunctive* is formed by adding its endings to the stem of the *present participle:*

   I. donnan͟t + -e, -es, -e, -ions, -iez, -ent
   II. finissan͟t + -e, -es, -e, -ions, -iez, -ent
   III. vendan͟t + -e, -es, -e, -ions, -iez, -ent

3. The compound tenses are formed by placing the *past participle* after the forms of **avoir** and **être** which are conjugated to show person and number:

PASSÉ COMPOSÉ (PERFECT):

   I. j'ai donné   je suis allé(e)
   II. j'ai fini   je suis sorti(e)
   III. j'ai vendu   je suis descendu(e)

PLUS-QUE-PARFAIT (PLUPERFECT):

                                     j'avais donné
                                     j'étais allé(e)

FUTUR ANTÉRIEUR (FUTURE PERFECT):

                                     j'aurai donné
                                     je serai allé(e)

CONDITIONNEL PASSÉ (CONDITIONAL PERFECT):

                                     j'aurais donné
                                   je serais allé(e)

PARFAIT DU SUBJONCTIF (PERFECT SUBJUNCTIVE):

                                     j'aie donné
                                   je sois allé(e)

4. The *present indicative* is formed by adding the following endings to the stem. The stem is found by dropping the *infinitive* ending:

   I. donne͟r + -e, -es, -e, -ons, -ez, -ent
   II. fini͟r + -is, -is, -it, -issons, -issez, -issent
   III. vendr͟e + -s, -s, —, -ons, -ez, -ent

The *imperative* is the same as the **tu, nous,** and **vous** forms of the *present indicative,* the subject pronoun being omitted.

Note that in the first conjugation, the -s of the second person singular is omitted:

I. donne	donnons	donnez
II. finis	finissons	finissez
III. vends	vendons	vendez

5. The *imperfect subjunctive* (rarely used in conversation) is formed from the *passé simple* (likewise rarely used in conversation):

	PASSÉ SIMPLE	IMPARFAIT DU SUBJONCTIF
I.	je donnai	je donnasse
II.	je finis	je finisse
III.	je vendis	je vendisse

LES VERBES RÉGULIERS*

	I ÈRE CONJUGAISON	II ÈME CONJUGAISON	III ÈME CONJUGAISON
INFINITIF:	donn **er**	fin **ir**	vend **re**
	to give	*to finish*	*to sell*
PARTICIPE PRÉSENT:	donn **ant**	fin **iss ant**	vend **ant**
	giving	*finishing*	*selling*
PARTICIPE PASSÉ:	donn **é**	fin **i**	vend **u**
	given	*finished*	*sold*
IMPÉRATIF:	donn **e**	fin **is**	vend **s**
	give	*finish*	*sell*
	donn **ons**	fin **iss ons**	vend **ons**
	let us give	*let us finish*	*let us sell*
	donn **ez**	fin **iss ez**	vend **ez**
	give	*finish*	*sell*

* The following tenses are rarely used in conversation but are listed here for recognition in reading:

le passé simple	l'imparfait du subjonctif
le passé antérieur	le plus-que-parfait du subjonctif

INDICATIF

I	II	III

PRÉSENT

I give, am giving	*I finish, am finishing*	*I sell, am selling*
je donn **e**	fin **is**	vend **s**
tu donn **es**	fin **is**	vend **s**
il donn **e**	fin **it**	vend *
nous donn **ons**	fin **iss ons**	vend **ons**
vous donn **ez**	fin **iss ez**	vend **ez**
ils donn **ent**	fin **iss ent**	vend **ent**

IMPARFAIT

I was giving, used to give, gave	*I was finishing, used to finish, finished*	*I was selling, used to sell, sold*
je donn **ais**	fin **iss ais**	vend **ais**
tu donn **ais**	fin **iss ais**	vend **ais**
il donn **ait**	fin **iss ait**	vend **ait**
nous donn **ions**	fin **iss ions**	vend **ions**
vous donn **iez**	fin **iss iez**	vend **iez**
ils donn **aient**	fin **iss aient**	vend **aient**

PASSÉ SIMPLE

I gave	*I finished*	*I sold*
je donn **ai**	fin **is**	vend **is**
tu donn **as**	fin **is**	vend **is**
il donn **a**	fin **it**	vend **it**
nous donn **âmes**	fin **îmes**	vend **îmes**
vous donn **âtes**	fin **îtes**	vend **îtes**
ils donn **èrent**	fin **irent**	vend **irent**

FUTUR

I shall give	*I shall finish*	*I shall sell*
je donner **ai**	finir **ai**	vendr **ai**
tu donner **as**	finir **as**	vendr **as**
il donner **a**	finir **a**	vendr **a**
nous donner **ons**	finir **ons**	vendr **ons**
vous donner **ez**	finir **ez**	vendr **ez**
ils donner **ont**	finir **ont**	vendr **ont**

* In **rompre** and its compounds, this form ends in **t: rompt.**

I	II	III
	CONDITIONNEL	
I should give	*I should finish*	*I should sell*
je donner **ais**	finir **ais**	vendr **ais**
tu donner **ais**	finir **ais**	vendr **ais**
il donner **ait**	finir **ait**	vendr **ait**
nous donner **ions**	finir **ions**	vendr **ions**
vous donner **iez**	finir **iez**	vendr **iez**
ils donner **aient**	finir **aient**	vendr **aient**

SUBJONCTIF

	PRÉSENT	
(*that*) *I may give*	*I may finish*	*I may sell*
(que) je donn **e**	fin **isse**	vend **e**
tu donn **es**	fin **isses**	vend **es**
il donn **e**	fin **isse**	vend **e**
nous donn **ions**	fin **issions**	vend **ions**
vous donn **iez**	fin **issiez**	vend **iez**
ils donn **ent**	fin **issent**	vend **ent**

	IMPARFAIT	
(*that*) *I might give*	*I might finish*	*I might sell*
(que) je donn **asse**	fin **isse**	vend **isse**
tu donn **asses**	fin **isses**	vend **isses**
il donn **ât**	fin **ît**	vend **ît**
nous donn **assions**	fin **issions**	vend **issions**
vous donn **assiez**	fin **issiez**	vend **issiez**
ils donn **assent**	fin **issent**	vend **issent**

LES VERBES AUXILIAIRES

INFINITIF:	**avoir** *to have*	**être** *to be*
PARTICIPE PRÉSENT:	**ayant** *having*	**étant** *being*

PARTICIPE
PASSÉ: eu (aux. **avoir**) *had*   été (aux. **avoir**) *been*

IMPÉRATIF: **aie** *have*   **sois** *be*
                ayons *let us have*   **soyons** *let us be*
                ayez *have*   **soyez** *be*

INDICATIF

PRÉSENT

I have		*I am*	
j' ai	nous avons	je suis	nous sommes
tu as	vous avez	tu es	vous êtes
il a	ils ont	il est	ils sont

IMPARFAIT

I was having, used to have, had		*I was being, used to be, was*	
j' avais	nous avions	j' étais	nous étions
tu avais	vous aviez	tu étais	vous étiez
il avait	ils avaient	il était	ils étaient

PASSÉ SIMPLE

I had		*I was*	
j' eus	nous eûmes	je fus	nous fûmes
tu eus	vous eûtes	tu fus	vous fûtes
il eut	ils eurent	il fut	ils furent

FUTUR

I shall have		*I shall be*	
j' aurai	nous aurons	je serai	nous serons
tu auras	vous aurez	tu seras	vous serez
il aura	ils auront	il sera	ils seront

CONDITIONNEL

I should have		*I should be*	
j' aurais	nous aurions	je serais	nous serions
tu aurais	vous auriez	tu serais	vous seriez
il aurait	ils auraient	il serait	ils seraient

SUBJONCTIF

PRÉSENT

	(that) *I may* have		*I may be*	
(que) j' aie	nous ayons	(que) je sois	nous soyons
tu aies	vous ayez	tu sois	vous soyez
il ait	ils aient	il soit	ils soient

IMPARFAIT

	(that) I might have		*I might be*	
(que) j' eusse	nous eussions	(que) je fusse	nous fussions
tu eusses	vous eussiez	tu fusses	vous fussiez
il eût	ils eussent	il fût	ils fussent

LES TEMPS COMPOSÉS

	avoir	être
AUXILIARES:	**avoir** *to have*	**être** *to be*
INFINITIF PASSÉ:	**avoir donné** *to have given*	**être venu(e)** *to have come*
PARTICIPE PASSÉ COMPOSÉ:	**ayant donné** *having given*	**étant venu(e)** *having come*
PASSÉ COMPOSÉ:	**j'ai donné** *I have given, I gave*	**je suis venu(e)** *I have come, I came*
PLUS-QUE-PARFAIT:	**j'avais donné** *I had given*	**j'étais venu(e)** *I had come*
PASSÉ ANTÉRIEUR:	**j'eus donné** *I had given*	**je fus venu(e)** *I had come*
FUTUR ANTÉRIEUR:	**j'aurai donné** *I shall have given*	**je serai venu(e)** *I shall have come*
CONDITIONNEL PASSÉ:	**j'aurais donné** *I should have given*	**je serais venu(e)** *I should have come*
PARFAIT DU SUBJONCTIF:	**j'aie donné** *(that) I may have given*	**je sois venu(e)** *(that) I may have come*

PLUS-QUE-PARFAIT   j'eusse donné   je fusse venu(e)
DU SUBJONCTIF: *(that) I might*   *(that) I might*
                    have given   *have come*

LES VERBES IRRÉGULIERS

1.   **Aller** *to go*
    1. *Infinitif* **aller;** *fut.* irai; *condl.* irais
    2. *Part. prés.* **allant;** *indic. imp.* allais; *subj. prés.* aille, ailles, aille, allions, alliez, aillent
    3. *Part. passé* **allé;** *passé comp.* je suis allé
    4. *Indic. prés.* **vais,** vas va, allons, allez, vont; *impératif* va, allons, allez
    5. *Passé simple* **allai;** *subj. imp.* allasse

2.   **Asseoir** *to seat*
    1. *Infinitif* **asseoir;** *fut.* assiérai; *condl.* assiérais
    2. *Part. prés.* **asseyant;** *indic. imp.* asseyais; *subj. prés.* asseye, asseyes, asseye, asseyions, asseyiez, asseyent
    3. *Part. passé* **assis;** *passé comp.,* j'ai assis
    4. *Indic. prés.* **assieds,** assieds, assied, asseyons, asseyez, asseyent; *impératif* assieds, asseyons, asseyez
    5. *Passé simple* **assis;** *subj. imp.* assisse

3.   **Battre** *to beat*
    Loses one **t** in the present indicative singular: **bats, bats, bat;** otherwise like **vendre.**

4.   **Boire** *to drink*
    1. *Infinitif* **boire;** *fut.* boirai; *condl.* boirais
    2. *Part. prés.* **buvant;** *indic. imp.* buvais; *subj. prés.* boive, boives, boive, buvions, buviez, boivent
    3. *Part. passé* **bu;** *passé comp.* j'ai bu
    4. *Indic. prés.* **bois,** bois, boit, buvons, buvez, boivent; *impératif* bois, buvons, buvez
    5. *Passé simple* **bus;** *subj. imp.* busse

5.   **Conduire** *to conduct, to drive*
    1. *Infinitif* **conduire;** *fut.* conduirai; *condl.* conduirais
    2. *Part prés.* **conduisant;** *indic. imp.* conduisais; *subj. prés.* conduise
    3. *Part. passé* **conduit;** *passé comp.* j'ai conduit

4. *Indic. prés.* **conduis,** conduis, conduit, conduisons, conduisez, conduisent; *impératif* conduis, conduisons, conduisez
5. *Passé simple* **conduisis;** *subj. imp.* conduisisse

6.   **Connaître** *to know*
1. *Infinitif* **connaître;** *fut.* connaîtrai; *condl.* connaîtrais
2. *Part. prés.* **connaissant;** *indic. imp.* connaissais; *subj. prés.* connaisse
3. *Part. passé* **connu;** *passé comp.* j'ai connu
4. *Indic. prés.* **connais,** connais, connaît, connaissons, connaissez, connaissent; *impératif* connais, connaissons, connaissez
5. *Passé simple* **connus;** *subj. imp.* connusse
      Cf. also **reconnaître** *to recognize*

7.   **Coudre** *to sew*
1. *Infinitif* **coudre;** *fut.* coudrai; *condl.* coudrais
2. *Part. prés.* **cousant;** *indic. imp.* cousais; *subj. prés.* couse, couses, couse, cousions, cousiez, cousent
3. *Part. passé* **cousu;** *passé comp.* j'ai cousu
4. *Indic. prés.* **couds,** couds, coud, cousons, cousez, cousent; *impératif* couds, cousons, cousez
5. *Passé simple* **cousis;** *subj. imp.* cousisse

8.   **Courir** *to run*
1. *Infinitif* **courir;** *fut.* courrai; *condl.* courrais
2. *Part. prés.* **courant;** *indic. imp.* courais; *subj. prés.* coure
3. *Part. passé* **couru;** *passé comp.* j'ai couru
4. *Indic. prés.* **cours,** cours, court, courons, courez, courent; *impératif* cours, courons, courez
5. *Passé simple* **courus;** *subj. imp.* courusse

9.   **Craindre** *to fear*
1. *Infinitif* **craindre;** *fut.* craindrai; *condl.* craindrais
2. *Part. prés.* **craignant;** *indic. imp.* craignais; *subj. prés.* craigne, craignes, craigne, craignions, craigniez, craignent
3. *Part. passé* **craint;** *passé comp.* j'ai craint
4. *Indic. prés.* **crains,** crains, craint, craignons, craignez, craignent; *impératif* crains, craignons, craignez
5. *Passé simple* **craignis;** *subj. imp.* craignisse

10.   **Croire** *to believe*
1. *Infinitif* **croire;** *fut.* croirai; *condl.* croirais
2. *Part. prés.* **croyant;** *indic. imp.* croyais; *subj. prés.* croie, croies, croie, croyions, croyiez, croient

3. *Part. passé* **cru**; *passé comp.* j'ai cru
4. *Indic. prés.* **crois**, crois, croit, croyons, croyez, croient; *impératif* crois, croyons, croyez
5. *Passé simple* **crus**; *subj. imp.* crusse

11.   Cueillir *to gather, pick*
1. *Infinitif* **cueillir**; *fut.* cueillerai; *condl.* cueillerais
2. *Part. prés.* **cueillant**; *indic. imp.* cueillais; *subj. prés.* cueille, cueilles, cueille, cueillions, cueilliez, cueillent
3. *Part. passé* **cueilli**, *passé comp.* j'ai cueilli
4. *Indic. prés.* **cueille**, cueilles, cueille, cueillons, cueillez, cueillent; *impératif* cueille, cueillons, cueillez
5. *Passé simple* **cueillis**; *subj. imp.* cueillisse

12.   Devoir *to owe, must*
1. *Infinitif* **devoir**; *fut.* devrai; *condl.* devrais
2. *Part. prés.* **devant**; *indic. imp.* devais; *subj. prés.* doive, doives, doive, devions, deviez, doivent
3. *Part. passé* **dû** (*f.* due, *pl.* du(e)s); *passé comp.* j'ai dû
4. *Indic. prés.* **dois**, dois, doit, devons, devez, doivent; *impératif*——
5. *Passé simple* **dus**; *subj. imp.* dusse

13.   Dire *to say, tell*
1. *Infinitif* **dire**; *fut.* dirai; *condl.* dirais
2. *Part. prés.* **disant**; *indic. imp.* disais; *subj. prés.* dise
3. *Part. passé* **dit**; *passé comp.* j'ai dit
4. *Indic. prés.* **dis**, dis, dit, disons, dites, disent; *impératif* dis, disons, dites
5. *Passé simple* **dis**; *subj. imp.* disse

14.   . Écrire *to write*
1. *Infinitif* **écrire**; *fut.* écrirai; *condl.* écrirais
2. *Part. prés.* **écrivant**; *indic. imp.* écrivais; *subj. prés.* écrive
3. *Part. passé* **écrit**; *passé comp.* j'ai écrit
4. *Indic. prés.* **écris**, écris, écrit, écrivons, écrivez, écrivent; *impératif* écris, écrivons, écrivez
5. *Passé simple* **écrivis**; *subj. imp.* écrivisse

15.   Envoyer *to send*
1. *Infinitif* **envoyer**; *fut.* enverrai; *condl.* enverrais
2. *Part. prés.* **envoyant**; *indic. imp.* envoyais; *subj. prés.* envoie, envoies, envoie, envoyions, envoyiez, envoient
3. *Part. passé* **envoyé**; *passé comp.* j'ai envoyé

4. *Indic. prés.* **envoie**, envoies, envoie, envoyons, envoyez, envoient; *impératif* envoie, envoyons, envoyez
5. *Passé simple* **envoyai**; *subj. imp.* envoyasse

16.   **Faire** *to do, make*
1. *Infinitif* **faire**; *fut.* ferai; *condl.* ferais
2. *Part. prés.* **faisant**; *indic. imp.* faisais; *subj. prés.* fasse, fasses, fasse, fassions, fassiez, fassent
3. *Part. passé* **fait**; *passé comp.* j'ai fait
4. *Indic. prés.* **fais**, fais, fait, faisons, faites, font; *impératif* fais, faisons, faites
5. *Passé simple* **fis**; *subj. imp.* fisse

17.   **Falloir** *must* (impers.)
1. *Infinitif* **falloir**; *fut.* il faudra; *condl.* il faudrait
2. *Part. prés.* ——; *indic. imp.* il fallait; *subj. prés.* il faille
3. *Part. passé* **fallu**; *passé comp.* il a fallu
4. *Indic. prés.* il **faut**; *impératif* ——
5. *Passé simple* il **fallut**; *subj. imp.* il fallût

18.   **Lire** *to read*
1. *Infinitif* **lire**; *fut.* lirai; *condl.* lirais
2. *Part. prés.* **lisant**; *indic. imp.* lisais; *subj. prés.* lise
3. *Part. passé* **lu**; *passé comp.* j'ai lu
4. *Indic. prés.* **lis**, lis, lit, lisons, lisez, lisent; *impératif* lis, lisons, lisez
5. *Passé simple* **lus**; *subj. imp.* lusse

19.   **Mettre** *to place, put*
1. *Infinitif* **mettre**; *fut.* mettrai; *condl.* mettrais
2. *Part. prés.* **mettant**; *indic. imp.* mettais; *subj. prés.* mette
3. *Part. passé* **mis**; *passé comp.* j'ai mis
4. *Indic. prés.* **mets**, mets, met, mettons, mettez, mettent; *impératif* mets, mettons, mettez
5. *Passé simple* **mis**; *subj. imp.* misse

20.   **Mourir** *to die*
1. *Infinitif* **mourir**; *fut.* mourrai; *condl.* mourrais
2. *Part. prés.* **mourant**; *indic. imp.* mourais; *subj. prés.* meure, meures, meure, mourions, mouriez, meurent
3. *Part. passé* **mort**; *passé comp.* je suis mort
4. *Indic. prés.* **meurs**, meurs, meurt, mourons, mourez, meurent; *impératif* meurs, mourons, mourez
5. *Passé simple* **mourus**; *subj. imp.* mourusse

21.   **Naître** *to be born*
  1. *Infinitif* **naître;** *fut.* naîtrai; *condl.* naîtrais
  2. *Part. prés.* **naissant;** *indic. imp.* naissais; *subj. prés.* naisse
  3. *Part. passé* **né;** *passé comp.* je suis né
  4. *Indic. prés.* **nais,** nais, naît, naissons, naissez, naissent; *impératif* ——
  5. *Passé simple* **naquis;** *subj. imp.* naquisse

22.   **Ouvrir** *to open*
  1. *Infinitif* **ouvrir;** *fut.* ouvrirai; *condl.* ouvrirais
  2. *Part. prés.* **ouvrant;** *indic. imp.* ouvrais; *subj. prés.* ouvre
  3. *Part. passé* **ouvert;** *passé comp.* j'ai ouvert
  4. *Indic. prés.* **ouvre,** ouvres, ouvre, ouvrons, ouvrez, ouvrent; *impératif* ouvre, ouvrons, ouvrez
  5. *Passé simple* **ouvris;** *subj. imp.* ouvrisse
          Cf. also **couvrir** *to cover*

23.   **Plaire** *to please*
  1. *Infinitif* **plaire;** *fut.* plairai; *condl.* plairais
  2. *Part prés.* **plaisant;** *indic. imp.* plaisais; *subj. prés.* plaise
  3. *Part. passé* **plu;** *passé comp.* il a plu
  4. *Indic. prés.* **plais,** plais, plaît, plaisons, plaisez, plaisent; *impératif* plais, plaisons, plaisez
  5. *Passé simple* **plus;** *subj. imp.* plusse
          Like **plaire: taire** (but **il tait** has no circumflex accent)

24.   **Pleuvoir** *to rain*
  1. *Infinitif* **pleuvoir;** *fut.* il pleuvra; *condl.* il pleuvrait
  2. *Part. prés.* **pleuvant;** *indic. imp.* il pleuvait; *subj. prés.* il pleuve
  3. *Part. passé* **plu;** *passé comp.* il a plu
  4. *Indic. prés.* il **pleut;** *impératif* ——
  5. *Passé simple* il **plut;** *subj. imp.* il plût

25.   **Pouvoir** *to be able*
  1. *Infinitif* **pouvoir;** *fut.* pourrai; *condl.* pourrais
  2. *Part. prés.* **pouvant;** *indic. imp.* pouvais; *subj. prés.* puisse, puisses, puisse, puissions, puissiez, puissent
  3. *Part. passé* **pu;** *passé comp.* j'ai pu
  4. *Indic. prés.* **puis** *or* **peux,** peux, peut, pouvons, pouvez, peuvent; *impératif* ——
  5. *Passé simple* **pus;** *subj. imp.* pusse

26.   **Prendre** *to take*
1. *Infinitif* **prendre;** *fut.* prendrai; *condl.* prendrais
2. *Part. prés.* **prenant;** *indic. imp.* prenais; *subj. prés.* prenne, prennes, prenne, prenions, preniez, prennent
3. *Part. passé* **pris;** *passé comp.* j'ai pris
4. *Indic. prés.* **prends,** prends, prend, prenons, prenez, prennent; *impératif* prends, prenons, prenez
5. *Passé simple* **pris;** *subj. imp.* prisse
   Cf. also **apprendre, comprendre**

27.   **Recevoir** *to receive*
1. *Infinitif* **recevoir;** *fut.* recevrai; *condl.* recevrais
2. *Part. prés.* **recevant;** *indic. imp.* recevais; *subj. prés.* reçoive, reçoives, reçoive, recevions, receviez, reçoivent
3. *Part passé* **reçu;** *passé comp.* j'ai reçu
4. *Indic. prés.* **reçois,** reçois, reçoit, recevons, recevez, reçoivent; *impératif* reçois, recevons, recevez
5. *Passé simple* **reçus;** *subj. imp.* reçusse

28.   **Rire** *to laugh*
1. *Infinitif* **rire;** *fut.* rirai; *condl.* rirais
2. *Part. prés.* **riant;** *indic. imp.* riais; *subj. prés.* rie, ries, rie, riions, riiez, rient
3. *Part passé* **ri;** *passé comp.* j'ai ri
4. *Indic. prés.* **ris,** ris, rit, rions, riez, rient; *impératif* ris, rions, riez
5. *Passé simple* **ris;** *subj. imp.* risse

29.   **Savoir** *to know*
1. *Infinitif* **savoir;** *fut.* saurai; *condl.* saurais
2. *Part. prés.* **sachant;** *indic. imp.* savais; *subj. prés.* sache, saches, sache, sachions, sachiez, sachent
3. *Part. passé* **su;** *passé comp.* j'ai su
4. *Indic. prés.* **sais,** sais, sait, savons, savez, savent; *impératif* sache, sachons, sachez
5. *Passé simple* **sus;** *subj. imp.* susse

30.   **Sentir** *to feel*
1. *Infinitif* **sentir;** *fut.* sentirai; *condl.* sentirais
2. *Part. prés.* **sentant;** *indic. imp.* sentais; *subj. prés.* sente, sentes, sente, sentions, sentiez, sentent
3. *Part. passé* **senti;** *passé comp.* j'ai senti
4. *Indic. prés.* **sens,** sens, sent, sentons, sentez, sentent; *impératif* sens, sentons, sentez

5. *Passé simple* **sentis**; *subj. imp.* sentisse
   Cf. also **dormir, mentir, partir, servir, sortir**

31.   **Suivre** *to follow*
1. *Infinitif* **suivre;** *fut.* suivrai; *condl.* suivrais
2. *Part. prés.* **suivant;** *indic. imp.* suivais; *subj. prés.* suive
3. *Part. passé* **suivi;** *passé comp.* j'ai suivi
4. *Indic. prés.* **suis,** suis, suit, suivons, suivez, suivent; *impératif* suis, suivons, suivez
5. *Passé simple* **suivis;** *subj. imp.* suivisse

32.   **Tenir** *to hold*
1. *Infinitif* **tenir;** *fut.* tiendrai; *condl.* tiendrais
2. *Part. prés.* **tenant;** *indic. imp.* tenais; *subj. prés.* tienne, tiennes, tienne, tenions, teniez, tiennent
3. *Part. passé* **tenu;** *passé comp.* j'ai tenu
4. *Indic. prés.* **tiens,** tiens, tient, tenons, tenez, tiennent; *impératif* tiens, tenons, tenez
5. *Passé simple* **tins,** tins, tint, tînmes, tîntes, tinrent; *sub. imp.* tinsse, tinsses, tînt, tinssions, tinssiez, tinssent

33.   **Valoir** *to be worth*
1. *Infinitif* **valoir;** *fut.* vaudrai; *condl.* vaudrais
2. *Part. prés.* **valant;** *indic imp.* valais; *subj. prés.* vaille, vailles, vaille, valions, valiez, vaillent
3. *Part. passé* **valu;** *passé comp.* j'ai valu
4. *Indic. prés.* **vaux,** vaux, vaut, valons, valez, valent; *impératif* vaux, valons, valez
5. *Passé simple* **valus;** *subj. imp.* valusse

34.   **Venir** *to come*
1. *Infinitif* **venir;** *fut.* viendrai; *condl.* viendrais
2. *Part prés.* **venant;** *indic. imp.* venais; *subj. prés.* vienne, viennes, vienne, venions, veniez, viennent
3. *Part. passé* **venu;** *passé comp.* je suis venu
4. *Indic. prés.* **viens,** viens, vient, venons, venez, viennent; *impératif* viens, venons, venez
5. *Passé simple* **vins,** vins, vint, vînmes, vîntes, vinrent; *subj. imp.* vinsse, vinsses, vînt, vinssions, vinssiez, vinssent
   Cf. also **convenir** *to be suitable*

35.   **Vivre** *to live*
1. *Infinitif* **vivre;** *fut.* vivrai; *condl.* vivrais
2. *Part. prés.* **vivant;** *indic. imp.* vivais; *subj. prés.* vive

3. *Part. passé* **vécu**; *passé comp.* j'ai vécu
4. *Indic. prés.* **vis**, vis, vit, vivons, vivez, vivent; *impératif* vis, vivons, vivez
5. *Passé simple* **vécus**; *subj. imp.* vécusse

36.   **Voir** *to see*
1. *Infinitif* **voir**; *fut.* verrai; *condl.* verrais
2. *Part. prés.* **voyant**; *indic. imp.* voyais; *subj. prés.* voie, voies, voie, voyions, voyiez, voient
3. *Part. passé* **vu**; *passé comp.* j'ai vu
4. *Indic. prés.* **vois**, vois, voit, voyons, voyez, voient; *impératif* vois, voyons, voyez
5. *Passé simple* **vis**; *subj. imp.* visse

37.   **Vouloir** *to wish*
1. *Infinitif* **vouloir**; *fut.* voudrai; *condl.* voudrais
2. *Part. prés.* **voulant**; *indic. imp.* voulais; *subj. prés.* veuille, veuilles, veuille, voulions, vouliez, veuillent
3. *Part. passé* **voulu**; *passé comp.* j'ai voulu
4. *Indic. prés.* **veux**, veux, veut, voulons, voulez, veulent; *impératif* veux, voulons, voulez (rare), veuillez *please*
5. *Passé simple* **voulus**; *subj. imp.* voulusse

REFERENCE LIST (INFINITIVE, À, DE)

1. Some verbs which may be followed *directly* by the infinitive:

aimer (mieux)	laisser
aller	oser
avoir beau	penser *to intend*
compter *to intend*	pouvoir
croire	préférer
désirer	regarder
devoir	savoir
entendre	sembler
envoyer	sentir
espérer	valoir mieux
être censé	venir
faire	voir
falloir	vouloir

2. Some verbs requiring **à** before a following infinitive:

aider	hésiter
amuser (s')	intéresser (s')
apprendre	inviter
chercher	mettre (se)
commencer	plaire (se)
continuer	réussir

3. Some verbs requiring **de** before a following infinitive:

cesser	oublier
craindre	prier
dépêcher (se)	proposer
demander	refuser
dire	regretter
écrire	servir (se)
essayer	souvenir (se)
excuser (s')	tâcher

Vocabulaire

A

à at, in, to, with
abord: d'— first, at first
abri *m.* shelter
accident *m.* accident
accord *m.* agreement; **être d'—** to
  agree; **d'—** I agree
acheter to buy
acteur *m.* actor
actrice *f.* actress; **— de cinéma**
  movie actress

actualités *f. pl.* newsreel
actuellement at present
addition *f.* check, bill
aéroport *m.* airport
affreux frightful, awful
afin que so that
agaçant annoying
âgé old
agir: s'— de to be a question of
aider to help, aid
aile *f.* wing
ailleurs: d'— besides

aimable kind
aimer to like, love
air *m.* air; **avoir l'—** to look (like)
aller to go; **ça va** it is all right; **—
bien** to fit well; **— et retour** round
trip; **s'en — ** to go away
allumette *f.* match
alors then, at that time; so
alphabet *m.* alphabet
améliorer: s'— to improve
amende *f.* fine
amer [amɛ:r] bitter
ami *m.* **amie** *f.* friend
amuser: s'— to have a good time
an *m.* year
ancien old, former; ancient
anglais *m.* English; the English language
année *f.* year; **Bonne Année** Happy
New Year
anniversaire *m.* anniversary; birth-
day
annoncer to announce
annuaire *m.* telephone directory
à pic steep
appareil *m.* camera; instrument; **qui
est à l'—?** who is speaking?
appeler to call; **s'—** to be named;
comment vous appelez-vous what
is your name; **je m'appelle** my
name is
apporter to bring
apprendre (à) to learn (to)
approcher: s'— de to approach
après after, afterward; **d'—** according to
à propos de regarding
arbre *m.* tree
architecture *f.* [arʃitɛkty:r] architecture
argent *m.* money; silver
arrière: à l'— in back
artiste *m. or f.* artist, performer
assez enough; **— à pic** steep enough;

— cher rather expensive; **—
grand** quite large
assiette *f.* plate
assis, assise seated
assister à to be present at
attendre to wait (for)
attention! look out!
atterrir to land
aucun, aucune: ne . . . — no, not
any
aujourd'hui today; **d'— en huit** a
week from today
aussi also; **— . . . que** as . . . as
aussitôt que as soon as
autant que as much as
automobile *f. or m.* car, automobile
automne *m.* [otɔn] autumn
autour (de) around
autre other; **— part** elsewhere
autrefois formerly
avance: d'— in advance
avant *adv.* before; **à l'—** in front
avant de *prep.* before
avant que *conj.* before
avantage *m.* advantage
avec with
avenir *m.* future
avertissement *m.* warning
aveugle blind
avion *m.* plane; **par —** air mail; **—
à réaction** jet
avis *m.* opinion; **changer d'—** to
change one's mind
avocat *m.* lawyer
avoir to have; to be the matter with;
— à to have to; **— beau** (+ *inf.*)
to be useless; **— besoin de** to
need; **— bonne mine** to look
well; **— chaud** to be warm (*of
persons*); **— plaisir à** to be pleased
to; **— envie de** to feel like; **—
faim** to be hungry; **— froid** to be
cold (*of persons*); **— honte** to be
ashamed; **— l'air** to look (like);
— lieu to take place; **— mal à**

to have a pain in; — **peur** to be afraid; — **raison** to be right; — **soif** to be thirsty; — **sommeil** to be sleepy; — **tort** to be wrong; — **vingt ans** to be twenty; **y** — to be
avouer to confess

B

bagnole *f.* jalopy, car
bague *f.* ring
baigner: se — to bathe, to go for a swim
balbutier [balbysje] to stammer
balle *f.* ball
banal tame
bas *m.* stocking
Bastille *f. prison in Paris which was stormed in the French Revolution, July 14, 1789*
bâtir to build
battre to beat; **se** — to fight; — **la mesure** to mark time; — **du tambour** to drum; — **des mains** to clap; — **les cartes** to shuffle; — **son plein** to be at its height; — **le pavé** to loaf about
beau, bel, belle fine, beautiful, handsome; **il a beau dire** there's no use in his saying
beaucoup a great deal, much, a lot
beauté *f.* [bote] beauty
Berlioz, Hector [berljɔ:z, -jo:z] *(1803-69) French composer*
besoin *m.* need; **avoir** — **de** to need
bête stupid
beurre *m.* butter
bien well, very; good-looking
bien que although
bientôt soon; **à** — see you later
bière *f.* beer
billet *m.* ticket
biscuit *m.* cracker
Bizet, Georges *(1838-75) French composer of* Carmen

blague *f.* joke; **sans** — you don't say; no kidding
blanc, blanche white
bleu blue
boire to drink
bois *m.* wood
boisson *f.* drink
boite *f.* box; — **aux lettres** mailbox
bon, bonne good, kind; **bon** very well
bonbons *m. pl.* candy
bondé crowded
bonne *f.* maid
bonté *f.* kindness
bouche *f.* mouth
bout *m.* bit, end; **faire un** — **de chemin** walk along a piece
brave brave, good
bravo! fine!
briquet *m.* lighter
brosse *f.* brush; — **à dents** toothbrush; **en** — crewcut
brosser: se — to brush
brûler to burn; — **un feu rouge** to ignore a red light
brûleur *m.* burner; — **à mazout** [mazut] oil burner
buffet *m.* lunchroom
bureau *m.* office; — **de location** box office; — **de poste** post office; — **de tabac** cigar store

C

ça (= **cela**) that
cabine *f.* cabin
caché hidden
cadeau *m.* gift
café *m.* coffee
camarade *m. or f.* classmate
campagne *f.* country
canotier *m.* straw-hat; boater
capote *f.* hood (of auto)
car because, for

Carmen [karmɛn] *heroine of opera by Bizet*

carnet *m.* book (*of stamps, etc.*)

carrosserie *f.* body (*of auto*)

carte *f.* card

carton *m.* pasteboard, cardboard; **verres en —** paper cups

cas *m.* case; **en tout —** in any case; **selon le —** as the case may be

Casadesus, Robert [kazadsy] *1899- French pianist*

cause: à — de because of

causer to chat

ce, cet, cette this, that; **ces** these, those

ce *pron.* it, that; **— qui, — que** that which, what; **— dont** that of which

céder to yield

cela (*contracted to* ça *in familiar speech*) that

celui, celle the one, he, that, this; **ceux, celles** those; **celui-ci** this one, the latter; **celui-là** that one, the former

censé supposed (to)

cependant still, however

cesser (de) to cease, stop

chacun, chacune each, each one, everyone

chaise *f.* chair

chaleur *f.* heat

chambre *f.* (bed)room

chance *f.* luck; **avoir de la —** to be lucky

chanter to sing

chanteur *m.* **chanteuse** *f.* singer

chaque each, every

Chartres *city near Paris, famous for its cathedral*

chat *m.* cat

chaud warm; **avoir —** to be warm (*of persons*); **faire —** to be warm (*of weather*)

chauffage *m.* heating

chauffer to heat

chaussée *f.* pavement; **rez-de-— street** level

chaussettes *f. pl.* socks

chauve bald

chef *m.* chief, leader; **— de gare** station master; **— d'orchestre** orchestra leader, conductor

chef- [ʃe]**d'œuvre** *m.* masterpiece

chemin *m.* way; **faire un bout de —** to walk along a piece

cher, chère dear, expensive

chercher to look for

cheval *m.* horse

cheveux *m. pl.* hair

chez to, at; **— nous** at our house; **— lui** at his house, about him; **— le coiffeur** at the barbershop

chic (*invariable*) smart, stylish

chien *m.* dog

chocolat glacé *m.* chocolate-covered ice cream bar

choisir to choose

Chopin, Frédéric (*1810-49*) *Polish pianist and composer of French origin*

chose *f.* thing; **grand'—** much

chute *f.* fall, falling

Le Cid *play by Corneille*

ci-dessus above

ciel *m.* (*pl.* **cieux**) sky, heaven

cinéma *m.* movies

citer to mention

Citroën [sitrɔɛn] *popular-priced French car*

clair clear

climatisé air-conditioned

cœur *m.* heart

coffre *m.* trunk

coiffeur *m.* barber

collectionner to collect

coller to paste, stick

combien (de) how much, how many

commander to order

comme for, as; — **ça** that way
comment how; — **est-il?** What does he look like?
commerçant *m.* business man
compartiment *m.* compartment (*of a train*)
complément *m.* object (*of a verb*)
complet *m.* suit of clothes
compliqué complicated, intricate
compositeur *m.* composer
comprendre to understand; to include
compte: se rendre — to realize
compter to count, intend
concert *m.* concert
concierge *m.* janitor
conduire to drive, conduct
conduite *f.* driving
congé: jour de — day off, holiday
conjuguer to conjugate
connaissance *f.* acquaintance
connaître to know, be acquainted with
conseiller to recommend, advise
constatation *f.* statement
contemporain contemporary
contenir to contain
content glad, pleased
contraire: au — on the contrary
contravention *f.* ticket (*for a minor infraction of the law*)
contre against
contrôleur *m.* conductor
convenable suitable
convenir to be suitable
copain *m.* chum, buddy
corne *f.* horn
Corneille, Pierre (*1606-1684*) *French dramatist*
cornichon *m.* pickle
côté *m.* side; **tout à** — right next door
coucher: se — to go to bed
couleur *f.* color
coulisse *f.* wing (*of theater*)

coup *m.* stroke, rap; — **de téléphone** phone call; — **de fil** phone call
coupe *f.* haircut
couper to cut
cour *f.* yard
couramment fluently
courant running; **au** — **de** informed of
courrier *m.* mail
cours *m.* course; **suivre un** — to take a course
course *f.* errand; **faire des** —s to go shopping; — **de chevaux** horse race
court short
couteau *m.* knife
coûter to cost; — **cher** to be expensive
couture *f.* sewing; **la haute** — high fashion
couturière *f.* dressmaker
couvert *m.* cover (*at table*)
couvert *adj.* covered; **le ciel est** — it is cloudy
craie *f.* chalk
cravate *f.* tie
crayon *m.* pencil
crèche *f.* crib; nativity scene
crème *f.* cream
crevé burst; **un pneu** — a flat tire
cri *m.* cry; **du dernier** — the latest style
crier to cry out
crochet *m.* square bracket
croire to believe
croiser to pass a car (*or a person*) going in the opposite direction
cuillère *f.* spoon
cuisinière *f.* cook

D

dame *f.* lady
dans in

davantage more
de of, from, by, with, than
debout standing
Debussy, Claude [klo:d dəbysi]
  (1862-1918) French composer
début *m.* beginning
décapotable *f.* convertible
décoller to take off
découverte *f.* discovery
déçu disappointed
dedans within, inside
défaut *m.* defect
dégourdir: se — stretch *(oneself)*
dehors outside; en — de outside
déjà already
demain tomorrow; à — good-bye
  until tomorrow
demander to ask; se — to wonder
déménager to move
demeurer to remain, live
dent *f.* tooth
départ *m.* departure
dépasser to pass, exceed
dépenser to spend
déplaire to displease
depuis for *(in expressions of time)*;
  — quand how long
déranger to disturb
déraper to skid
dériver to be derived
dernier, dernière last; ces derniers
  temps lately
dernièrement lately, of late
derrière in back of, behind
descendre to go down, get off
désolé very sorry
dès que as soon as
dessin animé *m.* animated cartoon
devant in front of, before
devenir to become
devoir *m.* duty; les —s exercises,
  lessons
devoir to owe, have to, must, ought
dictée *f.* dictation; faire une — to
  have a dictation

dimanche *m.* Sunday
discothèque *f.* record collection
disque *m.* record, recording
dommage: c'est — that's (it's) too
  bad
Donald *Donald Duck*
donc so, consequently *(do not translate after imperative)*
donner to give; — sur to overlook
dormir to sleep
dot *f.* [dɔt] dowery
doubler to pass, overtake
douleur *f.* pain
doute *m.* doubt; sans (aucun) —
  without (any) doubt
doux, douce sweet, gentle
droite *f.* right
drôle amusing, funny
dur hard; hardboiled
durée: de longue — long-playing

E

eau *f.* water
échanger exchange
échouer (à) to fail (in)
école *f.* school
économiser to save
écouter to listen (to)
écran *m.* screen
écraser to crush; s' — to crash
effacer to erase
effet *m.* : en — indeed
église *f.* church
elle she, it, her —-même herself
embouteillage *m.* traffic jam
emploi *m.* use
employer to use
emporter to take along
en *pron.* of it, of them, some, any
en *prep.* in, while, upon, as
encore still, yet, again; pas — not
  yet
enfer *m.* [ɑ̃fɛ:r] hell
enfin in short

énormément a great deal
enrhumé: être — to have a cold
ennuyer to bore
ensuite next, then
entendre to hear
entendu all right; **bien —** of course
enthousiasme m. enthusiasm
entr'acte m. intermission
entre between
entrer to enter
envie f. desire; **avoir — de** to feel like
envoyer send
épatant splendid, swell
épeler to spell
Epiphanie f. Epiphany or Twelfth Night (*January 6*)
espèce f. kind
espérer to hope
essayer (de) to try (to)
essence f. gasoline
essuyer to dry
estomac m. [ɛstɔma] stomach
et [e] and; **et . . . ?** and what about . . . ?
étage m. floor, story
étape f. lap (*of race*)
état m. condition, state
été m. summer
étoile f. star
étranger m. foreigner; **de l'—** from abroad
être to be; **— à** to be one's turn, belong to; **— d'accord** to agree; **— de retour** to be back; **— enrhumé** to have a cold; **— en train de** to be busy (*doing something*); **— en vie** to be alive
étrenne f. New Year's gift
étroit tight
étude f. study
étudiant m. student
eux, elles them, they
évidemment evidently
éviter to avoid

examen m. examination; **passer un —** take an exam
excuser excuse; **s'—** to apologize
exemple: par — for example; of course!
exercer: s'— to practice
exiger to require
expérimenté experienced
expliquer to explain
exprimer to express

F

face: en — (de) opposite
façon f. fashion, way
facteur m. postman
faible m. weakness, liking
faim f. hunger; **avoir —** to be hungry
faire to do, make; **se —** to become; **ne s'est pas fait** was not made; **comment se fait-il que** how is it that; **— attention** to pay attention; **— beau** to be nice weather; **— chaud** to be warm; **— des courses** to go shopping; **— du soleil** to be sunny; **— du vent** to be windy; **— froid** to be cold; **— jour** to be daylight; **— noir** to be dark; **— la queue** to stand in line; **— un somme** to take a nap; **— connaître** to acquaint; **— un tour** to go around; **— mal** to hurt; **— marcher** to turn on; **— du sport** to take part in sports; **— plaisir** to please; **— une promenade** to take a walk; **— voir** to show; **ça ne fait rien** that doesn't matter; **voilà qui est fait** there you are; **— suivre** to forward; **ne t'en fais pas** don't worry; **— de l'autostop** to hitchhike
fait: tout — ready-made
faites-le plein fill it up

familier familiar

Faust [fɔst] *opera by Gounod*

faut: il — it is necessary; **il ne — pas** one must not

faute *f.* mistake; **sans —** without fail

fauteuil *m.* [fotœj] armchair; **— d'orchestre** orchestra seat

faux, fausse false

favori, favorite favorite

félicitations *f. pl.* congratulations

femme *f.* [fam] woman, wife

fenêtre *f.* window

fermer to close; to turn off

Fernandel *French film star known for his Southern French characterizations*

festin *m.* feast, banquet

fête *f.* holiday

feu *m.* fire; **donne-moi du —** give me a light; **— rouge** stoplight

fève *f.* bean

fier [fjɛːr] , **fière** proud

figure *f.* face

fil *m.* [fil] wire

fils *m.* [fis] son; **— unique** only child

fille *f.* [fij] girl, daughter; **jeune —** girl, young lady; **— unique** only child

fleur *f.* flower

fois *f.* time; **à la —** at one time

forêt *f.* forest

formation *f.* combo

formidable amazing, terrific

fort loudly, very much

fou, fol, folle mad, crazy

fouetté whipped

foule *f.* crowd

fourchette *f.* fork

frais, fraîche cool, fresh

français *m.* French; the French language; **Français** *m.* a Frenchman

franc, franche frank

franc *m. at the current rate of ex-* *change there are five francs to the dollar*

frein *m.* brake; **faire —** to apply the brakes

frère *m.* brother

friction *f.* scalp massage

frileux sensitive to cold

frit fried

froid cold; **avoir —** to be cold (*of persons;* **faire —** to be cold (*of weather*)

fromage *m.* cheese

fumer to smoke

G

Galeries Lafayette *large department store in Paris*

galette *f.* cake (*for Twelfth Night*)

gant *m.* glove

ganterie *f.* glove-wear

garçon *m.* boy; waiter

garder to keep, hold on to

gare *f.* railway station

gâteau *m.* cake; **— sec** cookie

gauche left

geler to freeze

gêner to bother

genre *m.* kind, sort

gens *m. pl.* people; **jeunes —** young people, young men

gentil, gentile [ʒɑ̃ti, ʒɑ̃tij] nice

gentiment nicely, kindly

gilet *m.* vest

glace *f.* ice; ice cream

glissant slippery

gorge *f.* throat

gosse *m. or f.* kid, youngster

gothique Gothic

Gounod, Charles (*1818-93*) *French composer of Faust*

goût *m.* taste

goutte *f.* drop

grâce à thanks to

grand tall, large, great

gratis *Latin* [gratis] free
grave serious
gros, grosse large
guère: ne . . . — scarcely, hardly
guichet *m.* window (*in post office, etc.*)

H

(* *indicates aspirate* **h**)
habile clever
habiller: s'— to dress (oneself)
habit *m.* suit
habiter to live
habitude: d'— usually; **avoir l'— de** to be in the habit of
haut high, loud; **haute couture** high fashion
hélas [elɑs] alas
heure *f.* hour; **à l'—** on time; **à quelle —** (at) what time; **tout à l'—** a while ago *or* in a little while; **de bonne —** early; **à tout à l'heure** see you later
heureusement fortunately
heureux happy
hier [jɛːr] yesterday
histoire *f.* story; history
hiver *m.* [ivɛːr] winter
*****hockey** *m.* [ɔkɛ]: **faire du —** to play hockey
honneur *m.* honor
*****honte** *f.* shame; **avoir —** to be ashamed
humeur *f.* humor

I

ici here
idée *f.* idea
il he, it
île *f.* island
il y a there is, there are; ago
imperméable *m.* raincoat
importe: n'— qui anyone

interdit forbidden
interprète *m.* interpreter
intéresser: s'— à to be interested in
Interurbain *m.* long distance
inutile [inytil] useless
invité *m.* guest

J

Jacques James
jamais ever; **ne . . . —** never
jambe *f.* leg
jambon *m.* ham
jardin *m.* garden
jeter to throw
jeu *m.* game
jeudi *m.* Thursday
jeune young; **— fille** girl, young lady; **— gens** *m. pl.* young people, young men
joli pretty
jouer to play, act
joueur *m.* player
jouet *m.* toy
jour *m.* day; **— de l'An** New Year's Day
journal *m.* newspaper; **— parlé** news broadcast
Joyeux Noël Merry Christmas
jusqu'à (up) to; as far as
jusqu'à ce que until
jusqu'ici up to now
jusqu'où how far
justement precisely

L

l': *see* **le, la**
la the; her, it
là there; **—-bas** over there; **—-haut** up there
lac *m.* lake
laine *f.* wool
laisser to leave, let, allow
lame *f.* blade

langue *f.* language, tongue
large wide
lavabo *m.* lavatory, wash stand
laver: se — to wash (oneself)
le the; him, it
léger, légère slight, light
lentement slowly
les the; them
leur their, to them; **le —** theirs
lever: se — to get up, rise
lèvre *f.* lip
libre free
lieu *m.* place; **avoir —** to take place; **au — de** instead of
ligne *f.* line
livre *m.* book
loin (de) far (from)
long, longue long
longtemps a long time, long
lorsque when
louer to rent
luge *f.* Swiss toboggan
lui to him, to her, him, he; **- -même** himself
lundi *m.* Monday

M

magnifique wonderful, magnificent
maillot *m.* **de bain** bathing suit
main *f.* hand
maintenant now
mais but; **— oui** why yes, of course; **— si** yes, on the contrary
maison *f.* house
mal *m.* pain; **avoir — à** to have a pain in
mal *adv.* badly, bad, ill; **pas —** not bad-looking; **pas — (de)** quite a bit (of), quite a few
malade ill
malgré in spite of
malheureusement unfortunately
mandat-poste *m.* money order
manger to eat

manquer to be lacking, miss
manteau *m.* coat
maquillage *m.* make-up
marchande *f.* vendor
marché *m.* market, marketing; **meilleur —** cheaper
marcher to walk, run, work; **faire — to turn on**
mardi *m.* Tuesday
mari *m.* husband
marié married
marque *f.* make
Massenet, Jules *(1842-1912) French composer of opera* Thaïs
match *m.* game, match
matin *m.* morning
mauvais bad
mazout *m.* [mazut] fuel oil
médecin *m.* [metsɛ̃] doctor
médicament *m.* medicine
meilleur *adj.* better; **le —** the best
même even; same; self; **aujourd'hui —this** very day; **de —** likewise
mener to lead, take
menthe *f.* mint
mentir to lie
merci thank you; **— bien** thank you very much
mercredi *m.* Wednesday
mère *f.* mother
Méridionaux *m. pl.* southern French
merveille *f.* marvel; **à —** marvelously
messe *f.* mass
mesure *f.* measure; **sur —** to order; **battre la —** to keep time
métier *m.* business, trade
métro *m.* (*for* **métropolitain**) Paris subway
mettre to put (on), place; **se — à table** to sit down at a table; **se — à** to begin; **— à la poste** to mail
microsillon *m.* long-playing record
midi *m.* noon
Midi *m.* South of France

mien (le), mienne (la) mine
mieux *adv.* better; **le —** the best; **tant —** fine!
milieu *m.* middle
mille, mil [mil] thousand
mime *m.* pantomimist
mine *f.* appearance; **vous avez bonne —** you look well
minuit *m.* midnight
mode *f.* style
moi me, to me, as for me
moins less; **le —** the least; **au —** at least; **à — que** unless
mois *m.* month
moment: en ce — at present
mon, ma, mes my
monde *m.* world; **tout le —** everybody
monopole *m.* monopoly
monter to go up, climb; **— dans** to get on; **— à bicyclette** to ride a bicycle
montrer to show, point out
morceau *m.* piece
mort *f.* death
mot *m.* word
mou, mol, molle soft
mouchoir *m.* handkerchief
mousse *f.* **à raser** shaving cream
moyen *m.* way, means; **Moyen-Age** *m.* Middle Ages; **moyenne** medium-sized
muet, muette mute, dumb
mur *m.* wall
mûr ripe
musique *f.* music

N

nager to swim
naïf, naïve naïve
nappe *f.* tablecloth
natal native
naturellement naturally
négliger to neglect

neige *f.* snow
neiger to snow
nettoyer to clean
neuf, neuve new
neveu *m.* nephew
nez *m.* [ne] nose
ni . . . ni neither . . . nor
Noël *m.* Christmas; **le Père —** Santa Claus
noir black
nom *m.* (family) name; noun
nombre *m.* number
nombreux numerous
nommer to name; **se —** to be called
non no, not; **— plus** (*after negative*) either
norvégien Norwegian
note *f.* grade
notre our; **le nôtre** ours
nous we, us, to us
nouveau, nouvel, nouvelle new; **de nouveau** again
nouvelles *f. pl.* news; **ses —** news of him (her)
nuage *m.* cloud
nuit *f.* night
nulle part nowhere
numéro *m.* (specific) number
nylon *m.* nylon; **des —s** nylon stockings

O

objet *m.* object
obliger to oblige
observateur, observatrice *adj.* observing, observant
obtenir to obtain
occasion *f.* bargain, opportunity, occasion
occupé busy
œil *m.* [œj] *pl.* **yeux** [jø] eye
œuf *m.* [œf] *pl.* **œufs** [ø] egg
offrir to offer
on one, you, we, they, people

opéra *m.* opera
orchestre *m.* orchestra
ordonnance *f.* prescription; order
original, -aux original
oser to dare
où where, when, in which
ou or; — **bien** or (else)
oublier to forget
oui yes
ouvreuse *f.* usher
ouvrir to open

P

pain *m.* bread
paire *f.* pair
panne *f.* breakdown; **en** — out of
  commission
pantalon *m.* trousers
papier *m.* paper; — **à lettres** sta-
  tionery
paquet *m.* package
par by; — **jour** a day
paraît: à ce qu'il — so it seems
parapluie *m.* umbrella
parce que because
pardessus *m.* overcoat
pardon! excuse me
pare-brise *m.* windshield
pareil, pareille similar
parents *m. pl.* parents; relatives
part *f.*: **de votre** — of you (*literally*
  on your part); **c'est de la** — **de**
  qui? who is calling?
partie *f.* part
partir to leave (*intransitive*)
partout everywhere
pas mal (de) quite a bit (of), quite
  a few
passer to pass, spend, put on; **se** —
  to go on, happen; **passez-moi un**
  coup de fil give me a ring
pastille *f.* lozenge
pâte (*f.*) **dentifrice** toothpaste
patinage *m.* skating

patiner to skate
patineuse *f.* skater
pâtisserie *f.* pastry shop
patron *m.* owner
pauvre poor
payer to pay (for); **faire** — to
  charge
pays *m.* [pei] country
peau *f.* leather; (calf)skin
pêche *f.* peach
peindre to paint
peine *f.* difficulty
pellicule *f.* film; *pl.* dandruff
pendant during; — **que** while
penser to think; — **à** to think of
  (*have one's mind on*); — **de** to
  think of (*have an opinion about*)
pension *f.* board, meals
pente *f.* slope
père *m.* father
permettre permit
permis (*m.*) **de conduire** driver's
  license
personne *f.* person; **grande** —
  grown-up; **ne . . .** — no one
petit small, little
peu little; **un** — a little, a bit
peur *f.* fear; **avoir** — to be afraid
peut-être perhaps, maybe; **ça se**
  peut that may be
phare *m.* headlight
photographe *m.* photographer
photo *f.* photo
phrase *f.* sentence
pic: à — steep
pick-up *m.* [pikœp] record player
pièce *f.* play
pied *m.* [pje] foot
pile *f.* battery
pire *adj.* worse
pis *adv.* worse; **tant** — so much the
  worse, too bad
place *f.* place, seat; public square
plaire to please; **cela me plaît** I like
  that; **se** — **à** to like to

plaisir *m.* pleasure; **avoir — à** to like to; **faire —** to give pleasure
plaque (*f.*) **matricule** license plate
plat, plate flat
plat *m.* dish
pleuvoir to rain; **— à verse** to pour (rain)
pluie *f.* rain
plupart *f.* majority
pluriel *m.* plural
plus more; plus; **ne . . . —** no more, no longer; **de —** besides; **non —** either, neither
plusieurs several
plutôt rather
pneu *m.* [pnø] tire
points cardinaux *m. pl.* directions
pointure *f.* size; **— moyenne** medium-sized
poire *f.* pear
poisson *m.* fish
poivre *m.* pepper
pomme (*f.*) **de terre** potato
porte *f.* door
porte-bagages *m.* baggage rack
porter to wear; **se —** to be (*of health*)
porteur *m.* porter
poser to put, place; **— une question** to ask a question
poste (*m.*) **de T.S.F.** radio set
poste *f.* post office, mail; **— restante** General Delivery
poulet *m.* chicken
pouls *m.* [pu] pulse
pour for, in order to; **— que** in order that
pourboire *m.* tip
pour-cent *m.* per cent
pourquoi why
pourvu que provided (that)
pouvoir to be able
pratique practical; *f.* practice
pratiquer to take part in (sports)
préciser to be exact

premier, première first; **au premier** (**étage**) on the second floor
prendre to take; **— quelque chose** to get something to eat or drink
prénom *m.* first (*or* given) name
près (**de**) near; **à peu —** almost
presque almost
présentation *f.* introduction
pressé in a hurry
printemps *m.* spring
prise *f.* capture, fall
prix *m.* price; prize
prochain next
promenade *f.* walk; **faire une —** to take a walk
promener: se — to take a walk
pronominal reflexive
proposer to suggest
proposition *f.* clause
propre clean (*after noun*); own (*before noun*)
public *m.* public, audience; **le grand —** the general public
publicité *f.* advertising
puis then
puisque since
purée (*f.*) **de pommes de terre** mashed potatoes

Q

quand when; **depuis —** since when, how long; **— même** even so
quant à as for
quartier *m.* neighborhood; **le — latin** Latin Quarter
que whom, that, which
que? what?
que *conj.* that, than, as, until; **ne . . . que** only
quel, quelle what, what a
quelque some; *pl.* a few
quelque chose something; **prendre —** to get something to eat or drink

quelquefois sometimes
quelqu'un someone; **quelques-uns** some
qu'est-ce que? qu'est-ce que c'est que? what is?
qu'est-ce qui? what?
queue *f.* tail; **faire la —** to stand in line
qui who, whom, that, which
quitter to leave (*transitive*)
quoi what
quoique although

R

raccrocher to hang up
raison *f.* right; **avoir —** to be right
rang *m.* row
raser to shave
rasoir *m.* razor; **— électrique** electric razor
Ravel, Maurice (*1875-1937*) *French composer*
ravi delighted
rayon *m.* counter; department
récepteur *m.* receiver
réclame *f.* advertising
recommander to register, insure
réfléchir to think over
regarder to look (at)
règle *f.* rule
régner to reign
regretter to regret; to mourn the loss of; **je le regrette** I am sorry
reine *f.* queen
remarquer to notice, observe
remplir to fill
rendez-vous *m.* appointment, date
rendre to give back, return, render; **se — compte de** to realize
rentes *f. pl.* private income
rentrer to return (go back *or* come back)
repas *m.* meal
répondre (à) to answer

réponse *f.* answer
reposer: se — to rest
réservoir *m.* tank
ressembler to resemble; **se —** to look like each other
rester to remain
résultat *m.* result
retard: être en — to be late
retenir to engage
retour: être de — to be back
retourner to return (go back)
retrouver: se — to meet
réussir (à) to succeed (in)
réveillon *m.* midnight supper
révéler to reveal
revenir to return (come back)
réviser to review
révision *f.* review
revoir to see again; **au —** good-bye
revue *f.* magazine
rideau *m.* curtain
rien: ne . . . — nothing
rigolo *adj.* funny
robe *f.* dress
roi *m.* king; **le Jour des Rois** Twelfth Night; **les Rois Mages** the Magi
roman *m.* novel
rôti *m.* roast
roue *f.* wheel
rouge red
rouler to roll, move along
rouleau *m.* roll
rythme *m.* rhythm

S

sac *m.* handbag, purse
Saint-Saëns, Camille [kȧmij sɛ̃ sɑ̃:s] (*1835-1921*) *French composer*
saisir to seize, take advantage of
saison *f.* season
salade *f.* (lettuce) salad
salle *f.* room; **— de bains** bathroom
salon *m.* living room

samedi *m.* Saturday

sans *prep.* without

sans que *conj.* without

santé *f.* health

sauce *f.* gravy

sauf except

sauvage wild

sauver to save

savant clever, learned

savoir to know (*facts*)

savon *m.* soap

scène *f.* scene, stage

se himself, herself, itself, themselves, each other

sec, sèche dry; **à sec** broke; **nettoyer à sec** to dry clean

sel *m.* salt

selon according to

semaine *f.* week

sembler to seem

sens *m.* [sã:s] direction; **— unique** one-way thoroughfare

sentir to feel; **se —** to feel (*health*)

service *m.* favor

serviette *f.* napkin

servir to serve; **— de** to serve as; **se — de** to use

seul single, sole

seulement only

si if; so; yes (*contradicting a negative*); supposing (*with imperfect*)

sien (le), sienne (la) his, hers, its

signification *f.* meaning

simplement simply; **tout —** just simply

sinusite *f.* case of sinusitis

ski *m.* skiing; **faire du —** to ski

sœur *f.* sister

soie *f.* silk

soif *f.* thirst; **avoir —** to be thirsty

soigner to take care of

soir *m.* evening

soleil *m.* sun; **faire du —** to be sunny

solide sound, strong

sombre dark

somme *m.* nap; **faire un —** to take a nap

sommeil *m.* sleep; **avoir —** to be sleepy

son, sa, ses his, her, its

Sorbonne *f. Faculty of Letters and Science of the University of Paris*

sorte: de — que so that

sortir to go out

souffleur *m.* prompter

soulier *m.* shoe

sourd deaf

sourdine: en — softly

sourd-muet *m.* deaf-mute

sourire to smile

sous-titre *m.* subtitle

souvenir: se — de to remember

souvent often

speaker *m.* [spikɛ:r] announcer

spirituel witty, clever

sport *m.* [spɔ:r] sport

stationnement *m.* parking

stylo *m.* fountain pen; **— à bille** ball-point pen

substantif *m.* noun

sucre *m.* sugar

suite *f.* continuation

suivant following

suivre to follow; **faire —** to forward; **suivi de** followed by; **— un cours** to take a course

sur on, upon

surprenant surprising

surtout especially

suspendre to hang up

sympathique likeable

T

tableau *m.* (black)board; **— de bord** dashboard

tâcher (de) to try (to)

tailleur *m.* tailor; ladies' tailored suit

taire: se — to be silent; **il se taisait**

he kept silent; **il s'est tu** he became silent

tambour *m.* drum

tandis que whereas

tant so much, so many; **— mieux** fine! **— pis** too bad!

tante *f.* aunt

tarmac *m.* runway

tâter to feel (*pulse*)

tel, telle such; **un —** such a; **tel quel** the same as ever

tellement so much, so

temps *m.* time, weather; tense (*of verb*); **ces derniers —** lately

tenir to hold; **— à** to insist upon, be eager to

terrain *m.* land

terre *f.* land, ground

tête *f.* head

thé *m.* tea

théâtre *m.* theater

tien (le), tienne (la) yours (*familiar*)

timbre *m.* stamp

tiret *m.* dash, blank

tomber to fall

ton, ta, tes your (*familiar*)

tondeuse *f.* clippers

tordant very funny

tort *m.* wrong; **avoir —** to be wrong

tôt soon, early

toucher to cash; touch

toujours always

tour *m.* tour; **faire un —** to make the rounds

Tour (*m.*) **de France** national bicycle race

tourmenter: se — to worry

tourne-disques *m.* record player

tourner to make (*a film*)

Toussaint *f.* All Saints' Day, November 1

tout, toute, tous, toutes all, whole, every, any; **tout** *m.* everything

tout *adv.* wholly, quite, very; **tous**

les jours every day; **— à fait** quite; **pas du —** not at all; **— à l'heure** presently, *or* a little while ago; **— le monde** everybody; **— de même** all the same; **— de suite** at once; **— fait** ready-made; **toutes les deux** both

trac *m.* stage fright

traduction *f.* translation

traduire to translate

tranquille [trãkil] quiet

train *m.* train; **être en — de** to be busy (*doing something*)

travailler to work

travers: à — through

trempé soaked

très very

triste sad

tromper: se — to be mistaken

trop (de) too, too much, too many

trouver to find

T.S.F. *f.* **(Télégraphie Sans Fil)** wireless, radio

tuer to kill

U

un *m.* **une** *f.* a, an

usage *m.* usage

utile useful

V

vacances *f. pl.* vacation

vague *f.* wave; **la nouvelle —** the new wave of low budget films of artistic merit (neo-realism)

valeur *f.* value

valise *f.* suitcase

valoir to be worth; **— mieux** to be better

vanille *f.* vanilla

vedette *f.* star

veille *f.* eve

vendeuse *f.* clerk

vendredi *m.* Friday
venir to come; — **de** + *infinitive* to have just
Venise *f.* Venice
vent *m.* wind; **il fait du** — it is windy
verre *m.* glass; — **en carton** paper cup
vers around, about, toward
verse: pleuvoir à — to pour (rain)
vert green
veston *m.* coat (*to a suit*)
vêtements *m. pl.* clothes
viande *f.* meat
vie *f.* life; **être en** — to be alive
viennois Viennese
vieux, vieil, vieille old; **mon vieux** old man, old chap
vif, vive keen, lively
ville *f.* [vil] city; **en** — in town
vin *m.* wine
virage *m.* turn
vite quickly
vitesse *f.* speed
vivre to live; **vive . . .** ! long live . . . !; **quel jour je vis** what day it is
voici here is, here are
voilà there is, there are; — **qui est fait** there you are
voir to see; **faire** — to show
voisin *m.* neighbor
voiture *f.* car; **en** —! all aboard!

voix *f.* voice; **à haute** — aloud
volant *m.* steering wheel
voler to fly
votre your; **le vôtre** yours
vouloir to wish, want; **en** — **à** to be angry with; **que voulez-vous?** what do you expect? **je voudrais bien** I should like; **je veux bien** I am willing, I'd like to; — **dire** to mean
vous you, to you
voyage *m.* traveling, trip; **faire un** — to take a trip
voyageur *m.* traveler
voyelle *f.* vowel
vrai true
vraiment really

W

wagon-restaurant *m.* [vagõ rɛstɔrã] dining-car

Y

y there; to, at, in it *or* them
yeux *m. pl. of* **oeil** eyes

Z

zut alors! jeepers! (*expresses annoyance*)

ANGLAIS-FRANÇAIS

A

a (an) un, une
able: to be — pouvoir
about (him) chez (lui); **about which** dont

accident accident *m.*
accompany accompagner
acquaint faire connaître
acquainted: to be — **with** connaître
act jouer
actor acteur *m.*

actress actrice *f.*
address adresse *f.*
advance: in — d'avance
advertise faire de la réclame
advertising publicité *f.*
afraid: to be — avoir peur
after après
afternoon après-midi *m. or f.*
again encore (une fois)
ago: a week — il y a huit jours
agree être d'accord
air air *m.;* by — mail par avion
all tout, tous; toute, toutes; not at
— pas du tout
almost presque
already déjà
also aussi
although bien que, quoique
always toujours
America Amérique *f.*
American américain
and et [e]
animal animal *m.*
animated animé
announcer speaker *m.* [spikɛ:r]
answer répondre (à)
anyhow tout de même; quand même
any one n'importe qui
anything else autre chose
apologize (for) s'excuser (de)
appetite appétit *m.*
architecture architecture *f.*
around vers; autour de
arrival arrivée *f.*
arrive arriver
art art *m.*
artist artiste *m. or f.*
as (a) comme; — tall — aussi
grand que
ask (*some one to do something*)
demander à qqn. de faire qqchse;
prier qqn. de faire qqchse; (*some
one something*) demander qqchse.
à qqn; — for demander
at à, chez; — once tout de suite

aunt tante *f.*
author auteur *m.*
automobile auto(mobile) *m. or f.*

B

back: in — à l'arrière
bad mauvais; that's (it's) too —
c'est dommage
barber coiffeur *m.*
bargain occasion *f.*
bathroom salle (*f.*) de bains
bean fève *f.*
beat battre
because parce que; car; — of à
cause de
become devenir
before devant (*place*); avant (de)
(*time*); avant que (*conj.*)
begin commencer (à)
behind derrière
Belgium Belgique *f.*
belong to faire partie de
beside à côté de
best *adj.* le meilleur, la meilleure,
etc.
best *adv.* le mieux
better *adj.* meilleur
better *adv.* mieux
bicycle bicyclette *f.;* on —s à bicyclette
bit: a — un peu
black noir
book livre *m.*
born: be — naître
box boîte *f.*
box office bureau (*m.*) de location
bring apporter; — along emporter
brother frère *m.*
brown brun
brush brosse *f.;* to — brosser
business métier *m.;* —man commerçant *m.*
busy occupé
but mais

buy acheter; — **a ticket** prendre un billet
by par

C

cake galette *f.* (*for Twelfth Night*); gâteau *m.*
call appeler; **to be** —**ed** s'appeler
can (*see to be able*)
candy bonbons *m. pl.*
car voiture *f.*; auto(mobile) *m. or f.*
card carte *f.*
carefully bien; prudemment
carnival carnaval *m.*
cartoon dessin *m.*
case: as the — **may be** selon le cas; — **of sinusitis** sinusite *f.*
cathedral cathédrale *f.*
celebration fête *f.*
charge faire payer
check chèque *m.*
cheese fromage *m.*
children enfants *m. or f. pl.*
choose choisir
Christmas Noël *m.*
cigar store bureau (*m.*) de tabac [taba]
city ville *f.* [vil]
class classe *f.*
clean propre (*after noun*)
clerk vendeuse *f.*
clever savant
clippers tondeuse *f.*
close fermer
closely de près
cloudy: it is — le ciel est couvert
coat manteau *m.*
coffee café *m.*
cold: to be — avoir froid; **to have a** — être enrhumé, avoir un rhume
collection collection *f.*
color couleur *f.*
combo formation *f.*

come venir; — **in** entrer; — **out** sortir
commission: out of — en panne
compose composer
conductor chef d'orchestre *m.*
cookie gâteau sec *m.*
cost coûter
course cours *m.*
cracker biscuit *m.*
crescendo crescendo *m.* [krɛsēdo]
crowd foule *f.*
crowded bondé

D

dance danse *f.*; **to** — danser
date date *f.*
daughter fille *f.* [fij]
day jour *m.*
deal: a great — beaucoup
delighted ravi
deliver distribuer
desire envie *f.*
dictation dictée *f.*; **have a** — faire une dictée
dining-car wagon-restaurant *m.*
dislike déplaire
displease déplaire
do faire
doctor médecin *m.*; docteur *m.*; **to the** —**'s** chez le médecin
door porte *f.*
dozen douzaine *f.*
dress s' habiller
dress robe *f.*
drink boire
drive conduire
driver chauffeur *m.* —**'s license** permis (*m.*) de conduire
drum tambour *m.*

E

each chaque
each one chacun(e)

eager: to be — tenir à

eat manger; — **something** prendre quelque chose

egg œuf *m.*

end finir

engage retenir

English anglais

enjoy avoir plaisir à

enough assez; **slowly** — assez lentement

enter entrer (dans)

especially surtout

eve veille *f.*; **Christmas** — la veille de Noël

ever jamais

every chaque; — **morning** tous les matins; — **six months** tous les six mois; —**one** tout le monde; —**day** tous les jours; —**where** partout

example exemple *m.*

exceed dépasser

excuse me pardon

expensive cher; **to be** — coûter cher

experienced expérimenté

explain expliquer

eyes yeux *m. pl.*

fireplace cheminée *f.*

first d'abord; premier

fit aller bien

flat plat

floor: on the second — au premier (étage)

flower fleur *f.*

follow suivre

food plats *m. pl.*; provisions *f. pl.*

foot pied *m.* [pje]; **on** — à pied

for pour; depuis; — **dessert** comme dessert

forget oublier

fork fourchette *f.*

formerly autrefois

forty quarante

forward faire suivre

free libre; de libre

French français; **the** — **language** le français

fried: French — frit

friend ami *m.*; amie *f.*

frightened: to be — avoir peur

front: in — **of** devant; **in** — à l'avant

fruit fruits *m. pl.*

F

face figure *f.*

fast vite

father père *m.*

fear craindre

feel se sentir, sentir

feel like avoir envie de

few: a — quelques

fifth cinquième

fight se battre

fill remplir; — **a prescription** préparer une ordonnance

film pellicule *f.*; film *m.*;**color** — film en couleurs

find trouver

fine beau, bel, belle

finish finir

G

game match *m.*; jeu *m.*; — (*of cards*) partie *f.*

gasoline essence *f.*

General Delivery poste restante *f.*

get avoir; obtenir; prendre; — **on** monter dans

gift cadeau *m.*; **New Year's** — étrenne *f.*

girl jeune fille *f.*

give donner; — **me** (*a haircut*) faites-moi . . .

glad content

glove gant *m.*

go aller; — **to France** aller en France; — **out** sortir; — **to bed** se coucher

good bon
gravy sauce *f.*
great grand
grown-ups grandes personnes *f. pl.*
guest invité *m.*

H

hair cheveux *m. pl.*
haircut coupe (*f.*) de cheveux
half: — **an hour** une demi-heure
ham jambon *m.*
hand main *f.*
handbag sac *m.* (à main)
hard dur; difficile
hardboiled dur
hate détester
have avoir
he il, lui
headache mal à la tête
hear entendre
heated chauffé
hello allô
help aider
her son, sa, ses
here ici; — **is (are)** voici
his *adj.* son, sa, ses
his *pron.* le sien, la sienne, *etc.*
hold it against en vouloir à
home maison *f.*; **at his** — chez lui
hope espérer; **I** — **so** je l'espère
hot chaud
house maison *f.*
how comment
how long depuis quand
how much (many) combien (de)
hungry: to be — avoir faim
hurry se dépêcher; **to be in a** — être pressé
hurt faire mal

I

I je, moi
ice-hockey hockey (*m.*) sur glace

if si
ill malade
in, into en, dans, à; **inside** dedans
instead of au lieu de
instrument instrument *m.*
interesting intéressant
introduce présenter
it il, elle, ce; le, la
Italy Italie *f.*

J

jalopy bagnole *f.*
just: to have — venir de + *infinitive*

K

keep: — **silent** se taire; — **time** battre la mesure
king roi *m.*
know savoir (*facts*); connaître (*people;* — **how to** savoir

L

lady dame *f.*
land terrain *m.*
laugh rire
lavatory lavabo *m.*
lawyer avocat *m.*
leader chef *m.*
learn apprendre
leave partir
leather peau *f.*
less moins
lesson leçon *f.*
letter lettre *f.*
like aimer (bien), plaire, vouloir; — **to** se plaire à; **does not** — **it** n'est pas content
line ligne *f.*
limit limite *f.*
listen (to) écouter
little petit; **a** — un peu (de)

live vivre; **long** — . . . ! vive . . . !
London Londres
long longtemps; **long-playing record** microsillon *m.*
look: — **at** regarder; — **for** chercher; — **like** ressembler; — **up** chercher; — **well** avoir bonne mine
lot: a — (**of**) beaucoup (de)
loud fort; very — fortissimo
lunch déjeuner *m.*; — **counter** buffet *m.*

M

mail courrier *m.*
mail mettre à la poste
make marque *f.*
many beaucoup (de)
mass messe *f.*
masterpiece chef-[ʃe]d'œuvre *m.*
match allumette *f.*
matter: **it doesn't** — ça ne fait rien; **what is the** — **with her** ce qu'elle a
meals pension *f.*
medicine médicament *m.*
meet faire la connaissance de; se retrouver
menu carte *f.*
merry joyeux
Mexico Mexique *m.*
Middle Ages Moyen-Age *m.*
midnight minuit *m.*
million million *m.*
mine le mien, la mienne, *etc.*; à moi
mineral minéral
miss manquer
mistake faute *f.*
mistaken: **to be** — se tromper
month mois *m.*
more plus; advantage
morning matin *m.*
motor moteur *m.*

movie(s) film *m.* (*picture*); cinéma *m.* (*theater*)
much beaucoup; grand'chose
music musique *f.*
musician musicien *m.*
must falloir; devoir; one — il faut
my mon, ma, mes

N

name nom *m.*
name nommer
napkin serviette *f.*
Napoleon Napoléon
nativity scene crèche *f.*
near près de
necessary: **it is** — il faut
need besoin *m.*; avoir besoin de
neighborhood quartier *m.*
neither . . . nor ni . . . ni; — **have I** (ni) moi non plus
never ne . . . jamais
new nouveau
news nouvelles *f. pl.*
newsreel actualités *f. pl.*
New Year's Day le Jour de l'An
next prochain
nice (**weather**) beau (temps)
noon midi, *m.*
nothing rien
notice remarquer
now maintenant
number numéro *m.*

O

oblige obliger
observe observer
often souvent
of de
old: **how** — quel âge
on sur
once: **at** — tout de suite
one: **the** — **who** celui qui, celle qui
only seulement; ne . . . que

open ouvrir
opera opéra *m.*
or ou
orchestra orchestre *m.*
order: in — to pour
other autre
our notre, nos
ours le nôtre, *etc.*
out of commission en panne
outside of en dehors de
overlook donner sur
own propre (*before noun*)
owner patron *m.*

P

package paquet *m.*
pair paire *f.*
parents parents *m. pl.*
park stationner
pay (for) payer; **— attention** faire attention
peach pêche *f.*
pear poire *f.*
pencil crayon *m.*
pepper poivre *m.*
performer artiste *m. or f.*
person personne *f.*
phone book annuaire *m.*; **— number** numéro (*m.*) de téléphone
piano piano *m.*
pick cueillir
pickle cornichon *m.*
picnic pique-nique *m.*
piece morceau *m.*
play pièce *f.*
play jouer à (*games*)
pleasant agréable
please s'il vous plaît
please faire plaisir à; plaire à; **will you —** voulez-vous bien
pleased enchanté, charmé
polish polir
postman facteur *m.*
post office bureau (*m.*) de poste

potatoes pommes (*f.*) de terre
pour (*rain*) pleuvoir à verse
practice pratique *f.*
practice s'exercer
prefer préférer; aimer mieux
prepare préparer
prescription ordonnance *f.*
professor professeur *m.*
program programme *m.*
properly comme il faut
provided pourvu que
public public *m.*
pull arracher
put (on) mettre

Q

quality qualité *f.*
queen reine *f.*
quiet tranquille [trãkil]

R

radio radio *f.*
rain pleuvoir; pluie *f.*
raincoat imperméable *m.*
rather plutôt
receive recevoir
recommend recommander, conseiller
record, recording disque *m.*
red rouge
regularly régulièrement
relatives parents *m. pl.*
remain rester
rent louer
resemble (each other) se ressembler
rest: have a good — se reposer bien
return home rentrer (à la maison)
rhythm rythme *m.*
right: to be — avoir raison; **— next door** tout à côté
ring coup (*m.*) de téléphone
roast beef rosbif *m.*
roll rouleau *m.*
room chambre *f.*; salle *f.*

round trip aller et retour
run courir; marcher

S

salad salade *f.*
salt sel *m.*
same même; — to you pour vous aussi
Santa Claus le Père Noël
say dire
scalp massage friction *f.*
school école *f.*
seat place *f.*
seated assis
second second; deuxième; on the — floor au premier étage
see voir
sell vendre
send envoyer
serious grave
set (the table) mettre le couvert (la table)
set appareil *m.*
several plusieurs
sew coudre
she elle
shelter abri *m.*
shoe soulier *m.*
shopping: to go — faire des courses
shout crier
show montrer
silent: to be — se taire
since puisque
sinus: case of —itis sinusite *f.*
sister sœur *f.*
sit down s'asseoir
size pointure *f.*
skate patiner
skating patinage *m.*
skier skieur *m.*
sleep dormir
sleepy: to be — avoir sommeil
slight léger
slope pente *f.*

slowly lentement
smoke fumer
snow neiger
so am I moi aussi
softly en sourdine; doucement
so many tant
some quelque; du, de la, de l', des; en
someone quelqu'un
sooner plus tôt
sorry: I am — to je regrette de
Spain Espagne *f.*
Spanish: the — language l'espagnol *m.*
speak parler
speed vitesse *f.*
spend passer
spring printemps *m.*; in — au printemps
stage-fright trac *m.*
staging mise-en-scène *f.*
stamp timbre *m.*
state état *m.*
station gare *f.*
stay rester
steep (enough) assez à pic
still toujours
stocking bas *m.*
stop cesser; s'arrêter
street rue *f.*
student étudiant *m.*
study étudier
sugar sucre *m.*
suitcase valise *f.*
suppose si + *imparfait*
swan cygne *m.*

T

table table *f.*
take prendre; — a course suivre un cours; — a dictation faire une dictée; — a walk faire une promenade
talk parler

tall grand
tame banal
tell dire
than que
thank you merci
that *demons.* cela, ça; — **way** comme ça
that *rel.* que
the le, la, l', les
their leur; —**s** le leur
them les, leur; eux, elles
there là, y; — **is (are)** il y a, voilà
they ils, elles; on; eux, elles
thing chose *f.*
think penser; — **about** penser à (*have one's mind on*); — **about** penser de (*have an opinion about*)
thirsty: to be — avoir soif
this, these, that, those *adj.* ce (cet), cette, ces (+ *noun* + -ci, -là)
throat: sore — mal à la gorge
ticket billet *m.*
time heure *f.*; temps *m.*; fois *f.*; **have a good** — s'amuser
tip pourboire *m.*
tire pneu *m.* [pnø]
tired fatigué
tobacco tabac *m.* [taba]
toboggan faire de la luge; luge *f.*
today aujourd'hui
tomorrow demain
tonight ce soir *m.*
too (also) aussi; — **much,** — **many** trop; **it's** — **bad** c'est dommage
tooth dent *f.*
toothpaste pâte (*f.*) dentifrice
tower tour *f.*
town ville *f.*; **to** — en ville [vil]
toy jouet *m.*
train train *m.*
tree arbre *m.*
try essayer (de)
tube tube *m.*

turn: it's your — c'est à vous
turn off fermer; — **on** faire marcher

U

unbreakable incassable
uncle oncle *m.*
understand comprendre
unless à moins que
until jusqu'à ce que
use employer; se servir de
usually d'habitude

V

vacant libre
vacation vacances *f. pl.*
very très; — **much** beaucoup
view vue *f.*
voice voix *f.*

W

wait (for) attendre
waiter garçon *m.*
walk aller à pied; promenade *f.*; **take a** — faire une promenade, se promener
want vouloir, désirer
warm: to be — avoir chaud
wash se laver, laver
water eau *f.*
way moyen *m.*
we nous
wear porter
weather temps *m.*
week semaine *f.*; **a** — **from today** d'aujourd'hui en huit
well bien
what *interrog.* quel, quelle; que, qu'est-ce qui, qu'est-ce que
what *rel.* ce qui, ce que
when quand
where où

whether si
which *interrog. adj.* quel, *etc.; pron.*
  lequel, *etc.*
which *rel.* qui, que
while pendant que
who, whom *interrog.* qui
who *rel.* qui; whom que
win gagner
window fenêtre *f.*
windy: it is — il fait du vent
wine vin. *m.*
winter hiver *m.*; in — en hiver
  [ivɛ:r]
wire fil *m.* [fil]
wish vouloir, désirer; souhaiter
  [swɛte]
with avec

without sans
woman femme *f.* [fam]
wonder se demander
word mot *m.*
work travailler
worth: to be — valoir
write écrire
wrong: to be — avoir tort

Y

yard cour *f.*
year an *m.*; année *f.*
yesterday hier [jɛ:r]
yet encore; not — pas encore
you tu, te, toi, vous; *indef.* on
your votre, vos; — s le vôtre, *etc.*

Index